COLLINS

10,000

FRENCH

WORDS

HarperCollins*Publishers*

First published in this edition 1993

© **HarperCollins Publishers 1993**

ISBN 0 00 470158-5

---

editor
Megan Thomson

contributor
Cécile Aubinière-Robb

editorial staff
Linda Chestnutt, Diane Robinson,
Sheilagh Wilson

computing
Linda Able

editorial management
Vivian Marr

---

*Based on 5000 French Words © 1979,
compiled by Barbara I. Christie MA (Hons)
and Màiri MacGinn MA (Hons)*

*A catalogue record for this book
is available from the British Library*

Typeset by Tradespools Ltd, Frome, Somerset

*Printed in Great Britain by
HarperCollins Manufacturing, Glasgow*

We are delighted you have decided to buy the **Collins Pocket 10,000 French Words**, which forms part of our range of French Study Pockets. Based on the extremely popular Collins Gem 5000 French Words, this new text offers you a considerably extended guide to modern everyday French vocabulary.

You can benefit from using the graded wordlists if you are revising for school exams, as the topics covered are those included in the syllabuses of a cross-section of international examination boards. However, if you are an adult user wishing to brush up and update your French vocabulary, you will find the book's content equally valuable.

USING YOUR COLLINS POCKET 10,000 FRENCH WORDS

To help you find words and expressions as easily as possible, the information is presented by topic, and the material in each topic is set out in a consistent manner for quick reference. After a key to the abbreviations and phonetics used in the text, followed by a list of contents, the main part of the book contains over 60 topics of carefully selected vocabulary. The areas covered by the topic wordlists range from Animals to the Weather and from Careers to Youth Hostelling.

Vocabulary lists
Vocabulary within each topic is divided into the relevant nouns for that topic, in alphabetical order. Vocabulary within the noun sections is graded to help you concentrate on material that suits your particular needs or interests. For example, ESSENTIAL vocabulary includes the basic words that are considered necessary for you to talk or write about a specific subject. IMPORTANT items expand on these and help to improve the level at which you will be able to express yourself in French. Finally, USEFUL material increases your understanding of French by widening the range of words whose meaning you will recognize.

Colour highlighting
The arrangement of graded material is extremely helpful for exam revision, as ESSENTIAL vocabulary covers the major school exam syllabus requirements. Words which appear in this category and are highlighted in red are those that are absolutely vital for exam purposes.

Use of symbols
Two symbols are used in the topics sections. The book symbol ▭, which you will see in the ESSENTIAL and IMPORTANT categories, indicates words which you should be able to recognize and translate into English without necessarily being able to use yourself in French. However, at a more advanced level, you should also have an active knowledge of these words, meaning that you are able to use them when you write or speak French.

HOW TO USE THIS BOOK

The arrow symbol ⟡ indicates that words marked in this way can have another meaning, either in the same topic or in a completely different area. You will find a list of these words at the end of the book, entitled HOMO-NYMS, together with the page numbers on which the word appears with its different meaning or meanings.

Phrases and idioms

Expressing yourself in a foreign language involves much more than memorizing large quantities of individual words. Another advantage of your **Collins Pocket 10,000 French Words** is that it includes sections of appropriate phrases and idioms within each topic. These enable you to use the types of genuine French expressions you are likely to hear in everyday situations.

Parts of speech section

Supplementary wordlists in the second section of the book group words according to the following parts of speech – adjectives, conjunctions, adverbs, prepositions, nouns and verbs. You will be able to use the words listed here with most or sometimes all of the subject topics.

Grammatical information

The feminine form of all adjectives is shown where this varies from the masculine form (e.g., **ennuyeux, -euse, doux, douce**). Irregular plurals are given (e.g., **le bureau** (pl **-x**)) as well as plurals of compound nouns. The swung dash (~) is used to indicate the basic elements of the compound and the appropriate endings are added (e.g., **le wagon-lit** (pl ~**s**~**s**), but **le sous-sol** (pl ~**s**)).

Also covered are certain French nouns which have only one form whether they are referring to a male or a female. These are indicated with (m+f), e.g., **le professeur** (m+f) and **la vedette** (m+f).

English index

The English index gives page references for all the ESSENTIAL and IM-PORTANT English nouns listed under the individual topics.

French index

Finally, there is a French index which gives the page references for all the ESSENTIAL and IMPORTANT French nouns.

We hope you will enjoy using your **Collins Pocket 10,000 French Words**. Its practical, everyday vocabulary will help you to understand and to express yourself effectively in written and spoken French.

ABBREVIATIONS			

adj	adjective	*n*	noun
adv	adverb	*pl*	plural
conj	conjunction	*prep*	preposition
f	feminine	*qch*	quelque chose
inv	invariable	*qn*	quelqu'un
m	masculine	*sb*	somebody
m+f	masculine and	*sth*	something
	feminine form	*subj*	subjunctive

PHONETICS

i	as in vie, lit	ɛ̃	as in matin, plein
e	as in blé, jouer	ɑ	as in sans, vent
ɛ	as in merci, très	ɔ̃	as in bon, ombre
a	as in patte, plat	œ̃	as in brun, lundi
ɑ	as in bas, gras	j	as in yeux, pied
ɔ	as in mort, donner	ɥ	as in lui, huile
o	as in mot, gauche	ɲ	as in agneau, vigne
u	as in genou, roue	ŋ	as in English -ing
y	as in rue, tu	ʃ	as in chat, tache
ø	as in peu, deux	ʒ	as in je, gens
œ	as in peur, meuble	ʀ	as in rue, venir
ə	as in le, premier		

A colon : precedes words beginning with an aspirate h (**le :hibou** as opposed to **l'hippopotame**).

CONTENTS

CONTENTS

THE AIRPORT

ESSENTIAL WORDS (m)

un accident d'avion	air *or* plane crash
l'air ◊	air
un aller-retour	return ticket
un aller (simple)	single ticket
un avion	plane, aeroplane
les bagages ◊	luggage
le billet ◊ (d'avion)	(plane) ticket
le bureau de renseignements ◊	information desk
le chariot ◊	(luggage) trolley
le départ ▭	departure
le douanier ▭	customs officer
un escalier roulant ◊ ▭	escalator
l'hélicoptère	helicopter
l'homme d'affaires ◊	businessman
l'horaire ▭	timetable
le mal de l'air	airsickness
le numéro ◊	number
les objets trouvés	lost and found
le passager ◊	passenger
le passeport ◊	passport
le pilote ◊	pilot
le plan ◊	plan, map
le porteur ◊ ▭	porter
le prix du billet ◊	fare
les renseignements ◊	information
le retard	delay
le sac ◊	bag
le tarif ◊	rate, fare
le taxi ◊	taxi
le touriste	tourist
le vol	flying; flight
le voyageur ▭	traveller, passenger

voyager par avion to travel by plane, to fly
retenir une place d'avion to book a plane ticket
(envoyer une lettre) par avion (to send a letter) by airmail
enregistrer ses bagages to check in one's luggage
j'ai manqué l'avion/la correspondance I missed my plane/my connection
l'avion a décollé/a atterri the plane has taken off/has landed

ESSENTIAL WORDS (f)

une agence de voyages ◇	travel agent's
une arrivée ▢	arrival
la ceinture de sécurité ▢	seat belt
la consigne ◇	left luggage office
la consigne automatique ▢	left luggage locker
la correspondance ▢	connection
la descente	descent
la destination	destination
la douane ◇ ▢	customs
la durée	length, duration
une entrée ◇	entrance
l'horloge	(large) clock
l'hôtesse de l'air	air hostess
la passagère	passenger
la réduction ◇	reduction
la réservation ▢	reservation
la salle de départ	departure lounge
la sortie ◇	exit
la sortie de secours ◇ ▢	emergency exit
les toilettes ◇	toilet(s)
la touriste	tourist
la valise ◇	case, suitcase
la vitesse ◇	speed

le tableau des arrivées/des départs the arrivals/departures board
le vol numéro 776 en provenance de Nice/à destination de Nice flight number 776 from Nice/to Nice
récupérer ses bagages to get one's luggage back
quand je passe à la douane when I go through Customs
j'ai quelque chose à déclarer I have something to declare
je n'ai rien à déclarer I have nothing to declare
fouiller les bagages to search the luggage
les bagages à main hand luggage

THE AIRPORT

un aiguilleur du ciel 🕮	air traffic controller
un atterrissage	landing
un avion à réaction	jet plane
un avion gros porteur	jumbo jet
le décollage	take-off
l'embarquement	boarding
un équipage	crew
un indicateur	timetable
le mur du son 🕮	sound barrier
le parachute	parachute
le radar	radar
le satellite	satellite terminal
le steward	steward
le tapis roulant	moving walkway
le trou d'air	air pocket
le vacancier	holiday-maker

le commandant (de bord)	captain
le détournement d'avion	hijacking
l'équipage	crew
l'excédent de bagages	excess luggage
l'enregistrement des bagages	baggage check-in
le long-courrier (pl ~s)	long-haul aircraft
le moyen-courrier (pl ~s~s)	medium-haul aircraft
le terrain d'atterrissage	landing strip

à bord de l'avion on board the plane
"éteignez vos cigarettes" ''extinguish your cigarettes''
"attachez vos ceintures" ''fasten your seat belts''
nous survolons Londres we are flying over London
mon ami a le mal de l'air my friend is feeling airsick
détourner un avion to hijack a plane

IMPORTANT WORDS (f)

une aérogare	air terminal; airport building
une aile	wing
une altitude	altitude
une ascension	climb
les balises de nuit 📖	runway lights
la boîte noire	black box
les commandes	controls
une escale	stop-over
une étiquette	label
la :hauteur	height
l'hélice 📖	propeller
la ligne aérienne	airline
la piste ▷ (d'envol)	runway
la tour de contrôle	control tower
la turbulence	turbulence

USEFUL WORDS (f)

la franchise de bagages	baggage allowance
la navette	shuttle (service)
la porte (d'embarquement)	(departure) gate

nous allons faire escale à New York we shall stop over in New York
un atterrissage forcé a forced landing, an emergency landing
un atterrissage en catastrophe a crash landing
les droits (*mpl*) **de douane** customs duty
exempté(e) de douane duty-free
le magasin hors-taxe the duty-free shop
des cigarettes hors-taxe duty-free cigarettes

ANIMALS

ESSENTIAL WORDS (m)

un **animal** (pl **animaux**)	animal
le **bœuf** ◇ [bœf] (pl ~**s** [bø])	ox
le **chat**	cat
le **cheval** (pl **chevaux**)	horse
le **chien**	dog
le **cochon**	pig
le **cou**	neck
un **éléphant**	elephant
le **:hamster**	hamster
le **jardin zoologique**	zoo
le **lapin** ▭	rabbit
le **lion**	lion
le **mouton** ◇	sheep
un **oiseau** (pl -**x**)	bird
le **poisson** ◇	fish
le **tigre**	tiger
le **zoo** [zoo]	zoo

IMPORTANT WORDS (m)

un **âne** ◇	donkey
les **bois** ▭	antlers
le **bouc** ▭	(billy) goat
le **cerf** [sɛʀ]	deer, stag
le **chameau** (pl -**x**)	camel
le **cobaye**	guinea-pig
le **crapaud**	toad

aimer to like; **détester** to hate; **préférer** to prefer
j'aime les chats, je déteste les serpents, je préfère les souris I like cats, I hate
  snakes, I prefer mice
nous avons 12 animaux chez nous we have 12 pets in our house
nous n'avons pas d'animaux chez nous we have no pets (in our house)
les animaux sauvages wild animals
les animaux domestiques pets, household animals
j'aime faire du cheval or **monter à cheval** I like horse-riding
à cheval on horseback
"attention chien méchant" ''beware of the dog''
"chiens interdits" ''no dogs allowed''
"bas les pattes!" (to dog) ''down!''

ESSENTIAL WORDS (f)

la bouche	mouth (*of horse, sheep, cow*)
la cage	cage
la chatte	(she-)cat
la chienne	(she-)dog, bitch
la fourrure ◊	fur
une oreille	ear
la queue ◊	tail
la souris	mouse
la tortue	tortoise
la vache	cow

IMPORTANT WORDS (f)

la baleine	whale
la bosse	hump (*of camel*)
la boutique d'animaux ◊	pet shop
la caractéristique	characteristic
la carapace ⌑	shell (*of tortoise*)
la chauve-souris (*pl* ~**s**~)	bat
la chèvre	(nanny-)goat
la corne	horn
la couleuvre ⌑	grass snake
la crinière	mane (*of lion, horse*)
la défense ◊	tusk
une expérience ◊	experiment
la girafe	giraffe
la grenouille	frog
la griffe	claw

grand(e) big; **petit(e)** little
gros(se) fat; **mince** thin
beau (*and* **bel** *before a vowel or aspirate h*) **(belle)** beautiful, handsome
laid(e) ugly
joli(e) nice
intelligent(e) intelligent
nerveux(euse) nervous
timide timid

le chien aboie the dog barks; **il grogne** it growls
le chat miaule the cat miaows; **il ronronne** it purrs

ANIMALS

le **crocodile**	crocodile
un **écureuil**	squirrel
le :**hérisson**	hedgehog
l'**hippopotame**	hippopotamus
le **kangourou**	kangaroo
le **lièvre**	hare
le **loup**	wolf
le **mulet**	mule
le **museau** (*pl* -**x**) 📖	snout (*of pig*)
un **ours** [URS]	bear
un **ours blanc**	polar bear
le **phasme** 📖	stick insect
le **phoque**	seal
le **piège** ◇	trap
les **piquants** 📖	spines (*of hedgehog*)
le **poil**	coat, hair
le **poney**	pony
le **porc** ◇ [pɔR]	pig
le **renard**	fox
le **rhinocéros**	rhinoceros
le **sabot** ◇	hoof
le **serpent**	snake
le **singe**	monkey
le **taureau** (*pl* -**x**)	bull
le **zèbre**	zebra

un **abreuvoir**	watering place
l'**arrière-train** (*pl* ~**s**)	hindquarters
un **attelage**	team (*of horses etc*)
le **babouin**	baboon
les **batraciens**	amphibians
le **bélier**	ram
le **bocal à poissons rouges**	goldfish bowl
le **buffle**	buffalo
le **cachalot**	sperm whale

mettre un animal en cage to put an animal in a cage
libérer un animal to set an animal free

IMPORTANT WORDS (f) (cont)

la **gueule**	mouth (*of dog, cat, lion etc*)
la **jument**	mare
la **lionne**	lioness
la **mule**	mule
la **patte**	paw
la **poche** ◇	pouch (*of kangaroo*)
la **ramure** ▭	antlers
les **rayures**	stripes (*of zebra*)
la **taupe**	mole
la **tigresse**	tigress
la **trompe**	trunk (*of elephant*)

USEFUL WORDS (f)

une **antilope**	antelope
la **belette**	weasel
la **bestiole**	(tiny) creature
la **bête**	animal
la **biche**	doe
la **brebis**	ewe
la **cane**	(female) duck
la **corrida**	bullfight
la **course de chevaux**	horse racing
la **croupe**	croup (*of horse*)
une **écurie**	stable
une **épagneule**	spaniel
une **étable**	cowshed
la **femelle**	female
la **fouine**	stone marten
la **fourrière**	dog pound
la **génisse**	heifer
la **guenon**	female monkey
l'**hibernation**	hibernation
la :**hyène**	hyena

hiberner to hibernate
mettre en quarantaine to put into quarantine
faire des expériences sur des animaux to do experiments on animals
les droits des animaux animal rights

ANIMALS

le caneton	duckling
le caniche	poodle
le castor	beaver
le chacal	jackal
le chaton	kitten
le chenil	kennels
le chevreuil	roe deer
le chimpanzé	chimpanzee
le chiot	puppy
le clapier	(rabbit) hutch
le croc [kʀo]	fang
le dauphin	dolphin
le dompteur de lions	liontamer
le dressage	taming; training
le dromadaire	dromedary
un élan	elk, moose
un éléphant de mer	elephant seal
un éléphanteau (pl -x)	baby elephant
un empailleur	taxidermist
un épagneul	spaniel
un éperon	spur
un équidé	member of the horse family
un escargot	snail
un étalon	stallion
un étrier	stirrup
le faon [fɑ̃]	fawn (deer)
le fauve	wildcat
le félin	(big) cat
le fer à cheval	horseshoe
le flair	sense of smell
le furet	ferret
le galop [galo]	gallop
le glapissement	yelping
le gorille	gorilla
le grognement	growl; grunt, snort

un serpent venimeux a venomous snake
des animaux empaillés stuffed animals
j'ai entendu un aboiement I heard a dog bark

la laie	wild sow
la laisse	lead, leash
la licorne	unicorn
la limace	slug
la litière	litter
la loutre	otter
la louve	she-wolf
la mamelle	teat
la mangouste	mongoose
la marmotte	marmot
la meute	pack
la minette	pussycat
la morsure	bite
les moustaches	whiskers
la muselière	muzzle
la niche	kennel
une otarie	sea lion
une ourse	she-bear
la panthère	panther
la pouliche	filly
la progéniture	offspring
la proie	prey
la race	breed
les rênes	reins
la ruade	kick (*of horse*)
la sangsue	leech
la selle ◇	saddle
la SPA (Société Protectrice des Animaux)	RSPCA
la tanière	den, lair
la taupinière	molehill
la tauromachie	bullfighting
la truffe	nose (*of dog*)
la truie	sow
la vipère	viper, adder

tenir en laisse to keep on a lead
une exposition canine a dog show
beugler to low, moo; **gaver** to force-feed

ANIMALS

le groin [gʀwɛ̃]	snout
le guépard	cheetah
le :harnais	harness
l'hennissement	neighing, whinnying
l'hippodrome	racecourse
le :hongre	gelding
le jaguar	jaguar
le jappement	yap, yelp
le lapereau (pl -x)	young rabbit
le lapin de garenne	wild rabbit
le léopard	leopard
le lévrier	greyhound
le lézard	lizard
le lionceau (pl -x)	lion cub
le loir	dormouse
le louveteau (pl -x)	wolf-cub
le mâle	male
le mammifère	mammal
le mammouth	mammoth
le maquignon	horse-dealer
le marcassin	young wild boar
le marsouin	porpoise
le matou	tom (cat)
le miaou	miaow
le miaulement	mewing
le minet	pussycat
le morse	walrus
le mugissement	bellowing; lowing, mooing
le mulot	fieldmouse
le naseau (pl -x)	nostril
un orang-outan (pl ~s~s)	orang-utan
un ouistiti	marmoset
un ourson	bear cub
le panda	panda
le pedigree	pedigree
le pelage	coat, fur
le pis	udder
le poitrail	breast (of horse etc)
le porc-épic [pɔʀkepik] (pl ~s~s)	porcupine
le pur-sang (pl inv)	thoroughbred, purebred

le putois	polecat
le rat [Ra]	rat
le raton laveur	raccoon
le renardeau (*pl* -**x**)	fox cub
le renne	reindeer
le repaire	den, lair
le reptile	reptile
le rongeur	rodent
le ronronnement	purr(ing)
le rugissement	roar, roaring
le sanglier	(wild) boar
le serpent à sonnettes	rattlesnake
le taurillon	bull-calf
le teckel	dachshund
le terrier	burrow, hole
le têtard	tadpole
le torero	bullfighter
le trappeur	trapper, fur trader
le venin	venom, poison
le vison	mink

aboyer to bark; **miauler** to mew
hennir to neigh, whinny; **rugir** to roar
mugir to bellow; to low, moo

ART AND ARCHITECTURE

un **architecte** [aʀʃitɛkt(ə)]	architect
l' **art** [aʀ]	art
le **peintre**	painter
le **photographe**	photographer
le **portrait**	portrait; photograph
le **sculpteur** [skyltœʀ]	sculptor
le **tableau** ◇ (pl -**x**)	painting

un **autoportrait**	self-portrait
le **faux** ▭	fake (*painting etc*)
le **musée** ◇	museum; art gallery
le **recueil** ▭	collection

un **appareil-photo** (pl ~**s**~**s**)	camera
un **atelier**	workshop; studio
le **bas-relief** [baʀəljɛf] (pl ~**s**)	bas-relief
les **beaux-arts** [bozaʀ]	fine arts
le **cadre** ◇	frame
le **chevalet**	easel
le **dessin**	drawing
le **dôme**	dome
un **édifice**	building, edifice
le **folklore**	folklore
le **fronton**	pediment
le **fusain**	charcoal
le **grand-angle** (pl ~**s**~**s**)	wide-angle lens
le **graveur**	engraver
un **instantané**	snapshot
le **mécène**	patron
le **monument** ◇	monument
le **négatif**	negative
un **objectif**	lens
le **pastel**	pastel
le **paysagiste** ◇	landscape painter
le **pinceau** (pl -**x**)	(paint) brush

ESSENTIAL WORDS (f)

l' architecture [aʁʃitɛktyʁ]	architecture
une œuvre (d'art)	work (of art)
la peintre	painter
la peinture ◇	painting
la photographe	photographer
la photographie	photography
la sculpture [skyltyʁ]	sculpture

IMPORTANT WORDS (f)

une aquarelle	watercolour
une exposition	exhibition
l' huile	oil painting
la reproduction	reproduction

USEFUL WORDS (f)

la chambre noire	darkroom
la copie	copy
la coupole	dome
l' eau forte	etching
une ébauche	rough outline
une épreuve	print (*photo*)
une esquisse	sketch
une estampe	print, engraving
la fresque	fresco
la frise	frieze
la gargouille	gargoyle
la gravure	engraving; print; plate
la litho(graphie)	litho(graphy)
la marqueterie	inlaid work, marquetry
la nature morte	still life
la portraitiste	portrait painter
la restauratrice	restorer
la sculpture sur bois	wood carving
la tapisserie ◇	tapestry
la tourelle	turret
la vente aux enchères ◇	auction sale
la voûte	vault

ART AND ARCHITECTURE

le pochoir	stencil
le portraitiste	portrait painter
le relief [Rəljɛf]	relief
le restaurateur ◇	restorer
le romantisme	the Romantic Movement
le téléobjectif	telephoto lens
le vernissage	preview (*of an exhibition*)
les vers	verse (*poetry*)
le vitrail	stained-glass window

flou(e) blurred
faire de la photographie to have photography as a hobby

ESSENTIAL WORDS (m)

le casque 📖	helmet
le cyclisme ◇ 📖	cycling
le cycliste 📖	cyclist
le frein ◇ 📖	brake
le pneu	tyre
le sommet ◇	top (*of hill*)
le Tour de France ◇	Tour de France cycle race
le vélo ◇	bike; cycling

IMPORTANT WORDS (m)

le catadioptre 📖	reflector
le cataphote 📖	reflector
le cuissard	cycle pants *or* shorts
le garde-boue (*pl inv*)	mudguard
le guidon	handlebars
le moyeu (*pl* **-x**)	hub
le pare-boue (*pl inv*)	mud flap
le porte-bagages (*pl inv*)	luggage rack
le rayon ◇	spoke
le réflecteur	reflector
le timbre ◇	bell
le vélo tout terrain	mountain bike

USEFUL WORDS (m)

un antivol	padlock
le cambouis	dirty oil *or* grease
le cyclomotoriste	moped rider
le cyclotourisme	cycle touring
le motard	biker; motorcycle cop
le phare	headlight
le tandem	tandem
le tendeur	chain-adjuster
le tricycle	tricycle
le vélomoteur	moped

marcher to walk; **aller à pied** to go on foot
aller à bicyclette, aller à *or* **en vélo** to go by bike

BIKES AND MOTORBIKES

la bicyclette 📖	bicycle
la crevaison	puncture
la lampe ◇	lamp
la roue	wheel
la vitesse ◇	speed; gear

la barre	crossbar
la chaîne ◇	chain
la côte ◇	slope, hill (*on road*)
la dynamo	dynamo
la pédale	pedal
la pente	slope
la piste cyclable	cycle path
la pompe	pump
la sacoche ◇ (de bicyclette)	saddlebag, pannier
la selle ◇	saddle
la sonnette	bell
la trousse de secours pour	
crevaisons	puncture repair kit
la valve	valve

la béquille ◇	stand
la chambre à air	(inner) tube
la cyclomotoriste	moped rider
la mobylette ®	moped
la moto	(motor) bike
les pinces de cycliste	bicycle clips
la rustine	repair patch
la trottinette	(child's) scooter

monter à bicyclette to get on one's bike
faire une promenade à *or* **en bicyclette** to go for a bike ride
être à plat to have a flat tyre
réparer un pneu crevé to mend a puncture
la roue avant/arrière the front/back wheel
gonfler les pneus to blow up the tyres

ESSENTIAL WORDS (m)

le canard	duck
le ciel ◇ ▭	sky
le coq	cock
le dindon ◇	turkey
un insecte	insect
un oiseau (*pl* -**x**)	bird
le perroquet	parrot
le poulet	chicken

IMPORTANT WORDS (m)

un aigle	eagle
le bec	beak
le cafard	beetle
le choucas ▭	jackdaw
le coq de bruyère ▭	grouse
le corbeau (*pl* -**x**)	raven
le coucou	cuckoo
le criquet	cricket
le cygne [siɲ]	swan
un étourneau (*pl* -**x**)	starling
le faisan	pheasant
le faucon	falcon, hawk
le flamant (rose)	(pink) flamingo
le frelon ▭	hornet
le goéland	(sea)gull
le grillon	cricket
le :hibou (*pl* -**x**)	owl
le mainate ▭	mynah bird
le martin-pêcheur ▭ (*pl* ~**s**~**s**)	kingfisher
le merle	blackbird
le moineau (*pl* -**x**)	sparrow
le moucheron	midge
le moustique	mosquito
le nid	nest
le paon [pã]	peacock
le papillon	butterfly
le papillon de nuit	moth
le phasme ▭	stick insect

BIRDS AND INSECTS

IMPORTANT WORDS (m) (cont)

le pic ◊	woodpecker
le pigeon	pigeon
le pingouin	penguin
le roitelet	wren
le rossignol	nightingale
le rouge-gorge (pl ~s~s)	robin (redbreast)
le serin	canary
le vautour	vulture
le ver ◊	worm
le ver à soie	silkworm

USEFUL WORDS (m)

le bourdon	bumblebee
le bourdonnement	buzzing, buzz
le bouvreuil	bullfinch
le canari	canary
le chant	singing, warbling; chirp(ing)
le cocorico	cock-a-doodle-doo
le coin-coin (pl inv)	quack
un échassier	wader
un épervier	sparrowhawk
un essaim	swarm (of bees, insects)
le freux	rook
le gazouillis	chirp
le geai [ʒɛ]	jay
le :hululement	hooting, screeching
le miel	honey
le mille-pattes (pl inv)	centipede
les oiseaux migrateurs	migratory birds
un oiseleur	bird-catcher
un oiselier	bird-seller
un oisillon	little or baby bird
le perce-oreille (pl ~s)	earwig
le perchoir	perch
le perdreau (pl -x)	(young) partridge
le piaillement	squawking

ESSENTIAL WORDS (f)

la mouche	fly
une oie 🕮	goose
la perruche	budgie, budgerigar
la poule ◇ 🕮	hen
la queue ◇	tail

IMPORTANT WORDS (f)

une abeille	bee
une aile	wing
une alouette	lark
une araignée	spider
une autruche	ostrich
la bête à bon dieu	ladybird
la cage	cage
la caille 🕮	quail
la chenille	caterpillar
la cigale	cicada
la cigogne	stork
la coccinelle [kɔksinɛl] 🕮	ladybird
la colombe 🕮	dove
la corneille	crow, raven
la fourmi	ant
la grive	thrush
la grouse	grouse
la guêpe	wasp
l'hirondelle	swallow
la libellule 🕮	dragonfly
la mésange bleue	bluetit
la mouche à vers	bluebottle
la mouette	seagull
la perdrix [pɛRdRi]	partridge
la pie	magpie
la plume	feather
la puce	flea
la punaise ◇	bug
la sauterelle	grasshopper

le **pigeon voyageur**	homing pigeon
le **pigeonneau** (*pl* -**x**)	young pigeon
le **pigeonnier**	pigeonhouse, dovecot
le **pinson**	chaffinch
le **pivert**	green woodpecker
le **plumage**	feathers
le **pou** (*pl* -**x**)	louse
le **puceron**	greenfly
le **rapace**	bird of prey
le **roucoulement**	coo(ing)
le **scarabée**	beetle
le **sifflement**	whistle, whistling
le **taon** [tã]	horsefly, gadfly
le **termite**	termite, white ant
le **ver luisant**	glow-worm

on les met en cage people put them in cages
l'abeille/la guêpe pique the bee/the wasp stings
une toile d'araignée a spider's web

USEFUL WORDS (f)

la chouette	owl
la dinde	turkey
la fiente	droppings
la fourmilière	ant hill
la lente	nit
la luciole	firefly
la mésange	tit(mouse)
la mite [mit]	clothes moth
une ouvrière ◊	worker (bee)
la ruche	hive
les serres	claws, talons
la termitière	ant hill
la tique	tick
la tourterelle	turtledove
la volière	aviary

voler to fly; **s'envoler** to fly away
les oiseaux volent dans l'air birds fly in the air
ils font des nids they build nests
ils sifflent they whistle; **ils chantent** they sing

ESSENTIAL WORDS (m)

le commerce ⟡	trade, commerce
le consommateur	consumer
le contrat	contract
le créancier	creditor
le débiteur	debtor
un emprunt	loan
le fabricant	manufacturer, maker
les fonds	funds, capital
l'homme d'affaires ⟡	businessman
le marché	market
le prêt	loan
le taux d'intérêt	interest rate

IMPORTANT WORDS (m)

un actionnaire	shareholder
un associé	partner
le bilan	balance sheet, statement of accounts
un entrepôt 🕮	warehouse
un exportateur	exporter
les frais généraux	overheads
un industriel	industrialist; manufacturer
un inventaire	inventory; stock list
un investissement	investment
le monopole	monopoly
le négociant	merchant

USEFUL WORDS (m)

un à-côté (pl ~s)	extra
un abattement fiscal	tax allowance
un aboutissement	outcome, result
un accusé de réception	acknowledgement of receipt
l'acquittement	payment; settlement
l'agio	charges
les approvisionnements	supplies; stock
un arnaqueur	swindler
les arriérés	arrears
un assuré	insured person

---

une action	share
une affaire ◇	deal, bargain
la banqueroute	bankruptcy
la commande	order
la comptabilité	accounts, books
la concurrence	competition
la consommatrice	consumer
la créancière	creditor
la débitrice	debtor
la dette	debt
l'exportation	export
la facture	invoice
la femme d'affaires ◇	businesswoman
l'importation ◇	import
la société	company

une actionnaire	shareholder
une association	partnership
une associée	partner
la caution	deposit
la dépense	outlay, expenditure
les devises étrangères	foreign currency
la gestion	management
la main d'œuvre	manpower, labour

une annuité	annual instalment
l'assurance-vie (*pl* ~**s**~)	life assurance
l'assurance-vol (*pl* ~**s**~)	insurance against theft
une assurée	insured person
la compagnie de navigation	shipping company
la concessionnaire	agent, dealer
la confection	clothing industry
la courtière	broker
la devise	slogan
une enchère	bid

un **attrape-nigaud** (*pl inv*)	con
le **bénéfice**	profit
le **bon de garantie**	guarantee *or* warranty slip
le **coffre-fort** (*pl* ~**s**-**s**)	safe
le **commissaire-priseur** (*pl* ~**s**-**s**)	auctioneer
le **concessionnaire**	agent, dealer
le **courtier**	broker
le **découvert**	overdraft
le **dégrèvement**	tax relief
le **devis**	estimate, quotation
les **échanges commerciaux**	trade, trading
un **écu** [eky]	ecu
un **emprunteur**	borrower
un **emprunt-logement** (*pl* ~**s**~)	mortgage
la **livraison**	delivery
l'**endettement**	debts
un **enquêteur**	person conducting a survey, pollster
un **épargnant**	saver, investor
l'**excédent commercial**	trade surplus
le **fonds (de commerce)**	business
le **forfait**	fixed price; all-in deal *or* price
le **fournisseur**	supplier
le **gestionnaire**	administrator
les **honoraires**	fees
l'**import-export**	import-export business
l'**intérêt**	interest
un **investisseur**	investor
le **krach** [kRak]	crash (*Stock Exchange*)
le **label**	stamp, seal
le **libre-échange**	free trade
le **lingot**	ingot
le **livreur**	delivery boy
le **local** (*pl* **locaux**)	premises
le **magnat**	tycoon
le **magnat de la presse**	press baron
le **marchandage**	bargaining
le **milliardaire**	multimillionaire
le **paradis fiscal**	tax haven
le **patronat**	employers

une enquêteuse	person conducting a survey, pollster
l'exonération d'impôt	tax exemption
la fabrique	factory
les facilités de crédit	credit terms
les facilités de paiement	easy terms
la flambée des prix	(sudden) rise in prices
la fournisseuse	supplier
la gestionnaire	administrator
la :hausse	rise, increase
l'hypothèque	mortgage
la livraison	delivery
la milliardaire	multimillionaire
la paperasserie	paperwork
la patente	trading licence
la prêteuse	moneylender
les recettes	receipts
la reconnaissance de dette	acknowledgement of a debt (IOU)
les relations publiques (RP)	public relations (PR)
la vente ◇	sale
la vente aux enchères ◇	auction sale
la vente par correspondance	mail-order selling

les affaires business
le secteur privé/public private/public sector
en rupture de stock out of stock
entreprise en plein essor firm in full expansion

USEFUL WORDS (m) (cont)

le permis de construire	planning permission
le porte à porte	door-to-door selling
le prêteur	moneylender
le prêteur sur gages	pawnbroker
le promoteur (immobilier)	property developer
le récépissé	(acknowledgement of) receipt
le troc	barter

être en déplacement (pour affaires) to be on a (business) trip
être en faillite to be bankrupt
faire fortune to make one's fortune
s'acquitter d'une dette to pay off a debt
vendre aux enchères to sell by auction
rentable profitable; cost-effective
une tendance à la hausse/baisse upward/downward trend

THE SEASONS

le printemps	spring
l'été (*m*)	summer
l'automne (*m*)	autumn
l'hiver (*m*)	winter

au printemps in spring
en été/automne/hiver in summer/autumn/winter
l'arrière-saison late autumn

THE MONTHS

janvier	January	juillet	July
février	February	août	August
mars	March	septembre	September
avril	April	octobre	October
mai	May	novembre	November
juin	June	décembre	December

en mai *etc*, **au mois de mai** *etc* in May *etc*
le premier avril April Fools' Day
le premier mai May Day
le quatorze juillet Bastille Day (*French national holiday*)
le quinze août Assumption (*French national holiday*)

THE DAYS OF THE WEEK

lundi	Monday
mardi	Tuesday
mercredi	Wednesday
jeudi	Thursday
vendredi	Friday
samedi	Saturday
dimanche	Sunday

le samedi *etc* on Saturdays *etc*
samedi *etc* on Saturday *etc*
samedi *etc* **prochain/dernier** next/last Saturday *etc*
le samedi *etc* **précédent/suivant** the previous/following Saturday *etc*

THE CALENDAR .

le calendrier	the calendar
la saison	the season
le mois	the month
les jours de la semaine	the days of the week
le jour férié	public holiday

le dimanche des Rameaux/de Pâques Palm/Easter Sunday
le lundi de Pâques/de Pentecôte Easter/Whit Monday
Mardi gras Shrove *or* Pancake Tuesday
mercredi des Cendres Ash Wednesday
le jeudi de l'Ascension Ascension Day
le vendredi saint Good Friday
le jour de l'An New Year's Day
le réveillon du jour de l'An New Year's Eve dinner *or* party
le jour J D-Day
le jour des Morts All Souls' Day
le jour des Rois Epiphany, Twelfth Night
l'Armistice (*m*) Remembrance Day
l'Avent (*m*) Advent
le Carême Lent
Noël (*m*) Christmas
à (la) Noël at Christmas
le jour de Noël Christmas Day
la veille de Noël, la nuit de Noël Christmas Eve
le lendemain de Noël Boxing Day
Pâques (*fpl*) Easter
le jour de Pâques Easter Day
Pâque (*f*) juive Passover
le poisson d'avril April fool; April fool's trick
la Saint-Silvestre New Year's Eve, Hogmanay
la Saint-Valentin St. Valentine's Day
la semaine sainte Holy Week
la Toussaint All Saints' Day
la veille de la Toussaint Hallowe'en

ESSENTIAL WORDS (m)

un **arbre** ◇	tree
le **bac à vaisselle** ⌑	washing-up bowl
le **bloc sanitaire** ⌑	washrooms
le **bol** ◇	bowl
le **campeur**	camper
le **camping**	camping; camp-site
le **couteau** ◇ (*pl* -**x**)	knife
le **dépôt de butane** ⌑	butane store
un **emplacement** ⌑	pitch, site
le **feu de camp**	camp-fire
le **gardien** ◇ ⌑	warden, attendant
le **gaz** ◇	gas
le **lavabo**	washbasin
le **lit de camp**	camp bed
les **plats cuisinés** ⌑	cooked meals
le **rasoir** ⌑	razor
le **supplément** ◇ ⌑	extra charge
le **terrain (de camping)** ⌑	camp-site
le **véhicule** ⌑	vehicle
le **verre** ◇	glass
les **W.-C.** ◇ ⌑	toilet(s)

IMPORTANT WORDS (m)

le **matelas pneumatique**	airbed, lilo
un **ouvre-boîte(s)** ◇ (*pl* **ouvre-boîtes**)	tin-opener
le **réchaud**	stove
le **règlement** ◇	rule
le **sac à dos**	backpack, rucksack
le **sac de couchage**	sleeping bag
le **tire-bouchon** (*pl* ~**s**)	corkscrew

USEFUL WORDS (m)

le **camping-car** (*pl* ~**s**)	caravanette
le **pliant**	folding stool, campstool

faire du camping to go camping; **camper** to camp
bien aménagé(e) well equipped
monter to set up; **mettre** to put; **débarrasser** to clear up

---

ESSENTIAL WORDS (f)

une allumette	match
une assiette ◊	plate
la boîte	tin, can; box
les boîtes de conserve	tinned food
la campeuse	camper
la caravane ◊	caravan
la carte ◊	map; card
la chaise (longue)	(deck) chair
la cuiller, cuillère ◊	spoon
la cuisinière ◊ (à gaz) ▭	(gas) cooker or stove
la douche ◊	shower
l'eau ◊ (potable)	(drinking) water
la fourchette ◊	fork
la glace ◊	mirror
la lampe électrique	torch
la machine à laver ◊ ▭	washing machine
la nuit ◊	night
la piscine ◊	swimming pool
la poubelle ◊	dustbin
la salle ◊ ▭	room; hall
la table ◊	table
la tasse ◊	cup
la tente	tent
les toilettes ◊	toilet(s)

IMPORTANT WORDS (f)

les installations sanitaires ▭	washing facilities
la laverie	launderette, laundry
la lessive ◊	washing powder; washing
l'ombre	shade; shadow
la prise de courant ◊ ▭	socket, power point
la salle de jeux ▭	games room

USEFUL WORDS (f)

la glacière	icebox

dresser une tente to pitch a tent

ESSENTIAL WORDS (m)

un **agent (de police)** ◇	policeman
un **auteur**	author
l'**avenir** ◇	future
le **bureau** ◇ (*pl* -**x**)	office
le **chauffeur de taxi** ▭	taxi driver
le **chef** ◇ (*m+f*)	boss
le **chômage**	unemployment
le **chômeur**	unemployed person
le **coiffeur** ◇	hairdresser; barber
le **collègue**	colleague
le **commerçant** ◇ ▭	tradesman
le **commerce** ◇	commerce, business
le **concierge**	caretaker; janitor
le **décorateur**	decorator
un **électricien** ▭	electrician
un **emploi**	job
un **employé** ◇ ▭	employee; clerk
un **employeur** ▭	employer
le **facteur** ◇ ▭	postman
le **garagiste** ▭	mechanic; garage owner
le **gérant** ◇	manager
l'**homme d'affaires** ◇	businessman
un **infirmier** ◇ ▭	(male) nurse
le **laitier**	milkman
le **mécanicien** ◇ ▭	mechanic; engineer; train-driver
le **médecin** (*m+f*)	doctor
le **métier** ▭	trade
le **mineur** ◇	miner
un **opticien** ◇	optician
un **ouvrier**	worker
le **patron** ◇	boss
le **pharmacien** ◇	chemist
le **pilote**	pilot; racing driver

un emploi temporaire/permanent a temporary/permanent job
être engagé(e) to be taken on
être renvoyé(e) to be dismissed; **démissionner** to resign
mettre qn à la porte to give sb the sack
intéressant(e)/peu intéressant(e) interesting/not very interesting

ESSENTIAL WORDS (m) (cont)

le plombier	plumber
le pompier 📖	fireman
le premier ministre (*m+f*)	prime minister
le président	president; chairman
le professeur (*m+f*)	teacher
le roi	king
le salaire 📖	salary, pay, wages
le salarié	wage-earner
le sapeur-pompier (*pl* ~**s**~**s**)	fireman
le secrétaire ◇ 📖	secretary
le soldat	soldier
le syndicat 📖	trade union
les syndiqués	union members
le travail	work
le vendeur ◇ 📖	salesman, shop assistant

IMPORTANT WORDS (m)

un architecte [aʁʃitɛkt(ə)]	architect
un artiste	artist
un avocat ◇	barrister
un avoué	solicitor
le cadre ◇	executive
le chercheur ◇	researcher
le chirurgien	surgeon
le comptable	accountant
le constructeur	builder
le cosmonaute	cosmonaut, astronaut
le couturier	fashion designer
le député ◇	M.P., member of parliament
un écrivain	writer
le fonctionnaire ◇	civil servant
l'homme politique	politician
un ingénieur	engineer

mettre qn en *or* **au chômage** to make sb redundant
"demandes d'emploi" ''situations wanted''
"offres d'emploi" ''situations vacant''
je vais faire une demande d'emploi I am going to apply for a job

ESSENTIAL WORDS (f)

les affaires ◇	business
une ambition	ambition
une augmentation ▭	rise
la banque	bank
la bibliothèque ◇	library
la carrière ◇ ▭	career
la coiffeuse ◇	hairdresser
la collègue	colleague
la concierge	caretaker
la cuisinière ◇	cook
la dactylo(graphe)	typist
une employée ◇ ▭	employee
une entrevue	interview
la factrice ▭	postwoman
la femme d'affaires ◇	businesswoman
la femme de ménage ◇	cleaning woman
la gérante ▭	manageress
la grève	strike
l'hôtesse de l'air	air hostess
une industrie ▭	industry
une infirmière ▭	nurse
l'intention	intention, aim
une ouvreuse	usherette
une ouvrière ◇	worker
la patronne	boss
la politique ◇	politics
la présidente	president; chairwoman
la profession ▭	profession

se mettre au travail to start work, get down to work
il est facteur, c'est un facteur he is a postman
il/elle est médecin, c'est un médecin he/she is a doctor
il est facteur de son métier he is a postman by trade *or* to trade
travailler to work; **devenir** to become
travailler pour gagner sa vie to work to earn one's living
mon ambition est d'être secrétaire, j'ai l'ambition d'être secrétaire it is my ambition to be a secretary
que faites-vous dans la vie? what work do you do?, what is your job?
être au chômage to be out of work, be unemployed

IMPORTANT WORDS (m) (cont)

un **interprète**	interpreter
le **journaliste**	journalist
le **juge**	judge
le **maçon**	mason
le **mannequin** ◇ (*m+f*)	model (*person*)
le **marin** ◇	sailor; seaman
le **menuisier**	joiner
le **notaire**	lawyer, solicitor
le **personnel**	staff
le **photographe**	photographer
le **président-directeur général, PDG**	chairman and managing director
le **prêtre**	priest
le **représentant**	representative
le **speaker** [spikœR]	announcer
le **stage**	(training) course
le **traitement**	salary
le **vétérinaire** (*m+f*)	vet(erinary surgeon)
le **vigneron**	wine grower

USEFUL WORDS (m)

un **adjoint**	assistant
l'**adjoint au maire**	deputy mayor
un **administrateur**	director
l'**administrateur délégué**	managing director
un **aide-comptable** (*pl ~s~s*)	accountant's assistant
un **aide soignant**	auxiliary nurse
un **ajusteur**	metal worker
un **ambulancier** ◇	ambulance man
un **analyste-programmeur** (*pl ~s~s*)	systems analyst
les **antécédents professionnels**	record, career to date
un **anthropologue**	anthropologist
un **antiquaire**	antique dealer

entrer en fonctions to take up one's post
être de service to be on duty
être surchargé de travail to be overworked

ESSENTIAL WORDS (f) (cont)

la réceptionniste 🗪	receptionist
la reine	queen
la salariée	wage-earner
la secrétaire 🗪	secretary
la situation 🗪	job, situation
une **usine** ◇	factory
la vedette ◇ (*m+f*)	star
la vendeuse 🗪	salesgirl, shop assistant
la vie	life

IMPORTANT WORDS (f)

l' **administration**	administration
une **artiste**	artist
une **avocate**	lawyer
la compagnie	company
la comptable	accountant
la couturière	dressmaker
la dispute	argument, dispute
une **entreprise**	business
la femme-agent	policewoman
la femme au foyer ◇	housewife
la firme	firm
la formation	training
la grève du zèle 🗪	work-to-rule
la grève perlée 🗪	go-slow
une **interprète**	interpreter
la journaliste	journalist
la maison de commerce	firm
l' **orientation professionnelle**	careers guidance
la religieuse ◇	nun
la speakerine [spikRin]	announcer
la sténo-dactylo(graphe)	shorthand typist

gagner/toucher £150 par semaine to earn/get £150 a week
une augmentation de salaire a wage *or* pay rise
se mettre en grève to go on strike; **faire la grève** to be on strike
travailler à plein temps/à mi-temps to work full-time/part-time
faire des heures supplémentaires to work overtime

les appointements	salary
un apprenti	apprentice
un apprentissage	apprenticeship
un armateur	shipowner
un arpenteur	(land) surveyor
un artisan	craftsman
l'artisanat	craft industry
un assistanat	assistantship
un assistant	assistant
un assureur	insurance agent
un aubergiste	innkeeper
un avancement	promotion
un aventurier	adventurer
le banquier	banker
le barème des salaires	salary scale
le bénévolat	voluntary work, voluntary help
le blanchisseur	launderer
le boulot	work
le cadre supérieur	senior executive
le cadre moyen	junior executive
les cadres	managerial staff
le cancérologue	cancer specialist
le candidat	candidate
le carreleur	tiler
le carrossier	coachbuilder
le chantier	(building) site
le charpentier	carpenter
le cheminot	railwayman
le chèque-restaurant (pl ~s~)	luncheon voucher
le chimiste	chemist (scientist)
le confrère	colleague
le conservateur de musée	curator
le contrat de travail	employment contract
le cours de recyclage	retraining course
le couvreur	roofer
le crémier	dairyman
le débouché	opening, prospect
le déménageur	removal man
le dessinateur	draughtsman
le documentaliste	archivist

USEFUL WORDS (f)

une adjointe	assistant
une administratrice	director
une affectation	appointment
une aide familiale	mother's help
une aide ménagère	home help
une aide soignante	auxiliary nurse
une ambulancière	ambulance woman
une analyste-programmeuse (pl ~s~s)	systems analyst
l'ancienneté	seniority
une anthropologue	anthropologist
une antiquaire	antique dealer
une apprentie	apprentice
une assistante sociale	social worker
une aubergiste	innkeeper
une aventurière	adventuress
la blanchisseuse	laundress
la bonne	maid
la caissière	cashier; check-out assistant
la cancérologue	cancer specialist
la candidate	candidate
la cardiologue	cardiologist
la chimiste	chemist (*scientist*)
la conservatrice de musée	curator
la consœur	(lady) colleague
la démission	resignation
la documentaliste	archivist
une éditrice	publisher; editor
une électronicienne	electronics engineer
une esthéticienne	beautician
la fiscaliste	tax specialist
la fleuriste	florist
la garde d'enfants	childminder

faire de l'intérim to temp
faire des ménages to work as a cleaner (*in people's homes*)
faire la plonge to be a dishwasher
faire les trois-huit to operate round the clock in eight-hour shifts
grimper rapidement les échelons to get quick promotion

USEFUL WORDS (m) (cont)

un ébéniste	cabinetmaker
un éboueur	dustman
un éditeur	publisher; editor
un électronicien	electronics engineer
un encadreur	(picture) framer
un entrepreneur de pompes funèbres	undertaker, funeral director
un entrepreneur (en bâtiment)	(building) contractor
un expert-comptable (pl ~s~s)	chartered accountant
le ferronnier	craftsman in wrought iron; ironware merchant
le fiscaliste	tax specialist
le fleuriste	florist
le forgeron	(black)smith
le fossoyeur	gravedigger
les frais de déplacement	travel expenses
le gagne-pain	job
le garde du corps	bodyguard
le garde forestier	forest warden
le gréviste	striker
le groom	page
un imprimeur	printer
l'interprétariat	interpreting
le kinésithérapeute	physiotherapist
le laborantin	laboratory assistant
le caissier	cashier; check-out assistant
le cardiologue	cardiologist
le licenciement	dismissal; redundancy; laying off
le magasinier	warehouseman
le marché du travail	labour market
le marmiton	kitchen boy
le mineur ◇	miner
un orthophoniste	speech therapist
le peintre en bâtiment	house painter, painter and decorator

débaucher to lay off, dismiss
embaucher to take on, to hire (*labour*)
pointer to clock in/out

la **gréviste**	striker
la **:hiérarchie**	hierarchy
une **indemnité de licenciement**	redundancy payment
la **kinésithérapeute**	physiotherapist
la **laborantine**	laboratory assistant
la **mutation**	transfer
la **nourrice**	child minder, nanny
une **orthophoniste**	speech therapist
la **paye**	wages
la **politicienne** ◊	politician
la **postière**	post office worker
la **préretraite**	early retirement
la **reconversion**	redeployment
la **reliure**	(book)binding
la **romancière**	novelist
la **servante**	(maid)servant
la **société d'intérim**	temping agency
la **styliste**	designer
la **traductrice**	translator
la **vocation**	vocation, calling
la **volontaire**	volunteer

il a été licencié he was made redundant
poser sa candidature (pour un emploi) to apply (for a job)
travail à plein temps full-time work
un emploi fixe a steady *or* regular job
un garçon boucher/coiffeur butcher's/hairdresser's assistant
la sécurité de l'emploi job security

le permis de travail	work permit
le piston	string-pulling
le politicien ◇	politician
le postier	post office worker
le ramoneur	(chimney) sweep
le recrutement	recruiting, recruitment
le relieur	(book)binder
le romancier	novelist
le scaphandrier	diver
le secret professionnel	professional secrecy
le serrurier	locksmith
le soudeur	welder
le styliste	designer
le traducteur	translator
le train-train	humdrum routine
le travail au noir	moonlighting
le travailleur saisonnier	seasonal worker
le videur	bouncer
le vigile	(night) watchman
le vitrier	glazier
le volcanologue	vulcanologist
le volontaire	volunteer
le volontariat	voluntary service

renvoyer to dismiss; **se surmener** to overwork (o.s.)

ESSENTIAL WORDS (m)

un anniversaire	birthday
un anniversaire de mariage	wedding anniversary
le bal	dance
le cadeau (*pl* -**x**)	present
le cirque 🕮	circus
le drapeau (*pl* -**x**)	flag
le festival	festival
le feu d'artifice	firework; firework display
le feu de joie	bonfire
le mariage	marriage, wedding
le rendez-vous (*pl inv*)	appointment, date

IMPORTANT WORDS (m)

le baptême	christening, baptism
le char fleuri 🕮	decorated float
le cimetière	cemetery, churchyard
les confettis	confetti
le décès	death
le défilé ◊	procession; march
un enterrement	funeral, burial
le faire-part (de mariage) 🕮	wedding announcement/
(*pl inv*)	invitation
le témoin du marié	best man

USEFUL WORDS (m)

le bicentenaire	bicentenary
le carnaval	carnival
le centenaire	centenary
le cercueil	coffin

célébrer *or* **fêter son anniversaire** to celebrate one's birthday
elle vient d'avoir ses 17 ans she's just (turned) 17
le bal du Nouvel An the New Year's Eve dance
il m'a offert ce cadeau he gave me this present
je te l'offre! I'm giving it to you!
je vous remercie thank you (very much)
divorcer to get divorced; **se marier** to get married

> *USEFUL WORDS (m) (cont)*

le chant de Noël	(Christmas) carol
le convoi funèbre	funeral procession
le couronnement	coronation
le défunt	deceased
le deuil	bereavement
le discours ◇	speech
le drapeau tricolore	the (French) tricolour
l'état civil	registry office
le forain	fairground entertainer; stallholder
l'hôte	host; guest
un invité	guest
le lampion	Chinese lantern
le Père-Noël	Father Christmas
le pétard	banger, firecracker
le réveillon	Christmas Eve *or* New Year's Eve party
le santon	ornamental figure at a Christmas crib
le sapin de Noël	Christmas tree
le tricentenaire	tercentenary, tricentennial

soyez le *or* **la bienvenu(e)** (*pl* **les bienvenu(e)s**) you are very welcome
souhaiter la bonne année à qn to wish sb a happy New Year

la date ◇	date
les festivités	festivities
la fête	saint's day; fête, fair
la fête foraine	(fun)fair
les fiançailles ▱	engagement
la foire	(fun)fair
la mort ◇	death
la naissance	birth

la cérémonie	ceremony
la demoiselle d'honneur	bridesmaid
les étrennes ▱	New Year's gift; Christmas box
la fanfare	brass band; fanfare
la fête folklorique	festival of folk music
la lune de miel	honeymoon
les noces	wedding
la retraite	retirement

la couronne funéraire	(funeral) wreath
la défunte	deceased
la demande en mariage	(marriage) proposal
la fève	charm (*hidden in cake eaten on Twelfth Night*)
la Fête Nationale	national holiday
la Fête des Mères/Pères	Mother's/Father's Day
les fêtes (de fin d'année)	festive season
les funérailles	funeral
la galette des Rois	cake traditionally eaten on Twelfth Night

se fiancer (avec qn) to get engaged (to sb)
mon père est mort il y a deux ans my father died two years ago
enterrer, ensevelir to bury
ma sœur est née en 1985 my sister was born in 1985
aller à la noce de qn to go to sb's wedding
les noces d'argent/d'or/de diamant silver/golden/diamond wedding

USEFUL WORDS (f) (cont)

la guirlande lumineuse	(fairy) lights
la guirlande de Noël	tinsel
les illuminations de Noël	Christmas lights *or* illuminations
l'inauguration	opening
l'incinération	cremation
l'inhumation	interment, burial
une invitée	guest
la kermesse	bazaar, (charity) fête; village fair
la loterie	raffle
la majorette	majorette
la Marseillaise	the Marseillaise (*French national anthem*)
les obsèques	funeral
la pièce montée	tiered cake
la tombe	grave; tomb
la veillée (mortuaire)	watch

discours/cérémonie d'inauguration inaugural speech/ceremony
porter un toast to drink a toast

SOME COLOURS

beige	beige
blanc (blanche)	white
bleu ◊ (bleue)	blue
bordeaux *inv*	maroon, burgundy
brun (brune)	brown
écarlate	scarlet
fauve	fawn, tawny
gris (grise)	grey
jaune	yellow
lie-de-vin *inv*	wine(-coloured)
marron ◊	brown
mauve	mauve
noir (noire)	black
ocre	ochre
orange, orangé(e)	orange
pourpre	crimson
rose ◊	pink
rosé(e)	rosé
rouge	red
turquoise	turquoise
vermeil (vermeille)	bright red
vert (verte)	green
violacé(e)	purplish, mauvish
violet (violette)	violet, purple
violine	dark purple, deep purple
bleu clair	pale blue
bleu foncé	dark blue
bleuté	bluish
bleu ciel	sky blue
bleu marine	navy blue
bleu roi	royal blue
bleuâtre	bluish
jaunâtre	yellowish
rougeâtre	reddish
verdâtre	greenish

COLOURS AND SHAPES

SOME COLOURFUL PHRASES

la couleur colour; **changer de couleur** to change colour
la Maison Blanche the White House
un Blanc a white man; **une Blanche** a white woman
blanc comme la neige as white as snow
Blanche-Neige Snow-White
un steak bleu a very rare steak, an underdone steak
rougir to turn red; **le Petit Chaperon Rouge** Little Red Riding Hood
rougir de honte/de gêne to blush with shame/with embarrassment
pâle comme un linge as white as a sheet
bleu de froid blue with cold
tous les trente-six du mois once in a blue moon
elle brunit she is turning brown
les feuilles roussissent the leaves are turning brown
tout(e) bronzé(e) as brown as a berry
il était couvert de bleus he was black and blue
d'un noir de jais jet-black
un Noir a black man; **une Noire** a black woman
un œil poché, un œil au beurre noir a black eye
vert(e) de jalousie green with envy
il a le pouce vert he's got green fingers
de quelle couleur sont tes yeux/tes cheveux? what colour are your eyes/is your
  hair?
vif (vive) colourful, bright
le bleu te va bien blue suits you; the blue one suits you
peindre qch en bleu to paint sth blue
flou(e) soft; **opaque** opaque; **translucide** translucent; **transparent(e)** transparent
uni(e) self-coloured; **voyant(e)** loud, gaudy, garish
bicolore two-coloured; **multicolore** multicoloured

SOME SHAPES

le carré	square
le cercle	circle
le cube	cube
le cylindre	cylinder
le rectangle	rectangle
le triangle	triangle
la croix	cross

en losange diamond-shaped

ESSENTIAL WORDS (m)

le micro-ordinateur (*pl* ~**s**)	PC, personal computer
un ordinateur ◊	computer
le programme ◊	program
le programmeur	programmer

IMPORTANT WORDS (m)

le caractère ◊	character, letter
le clavier	keyboard
le curseur	cursor
le disque dur	hard disk
un écran	monitor, screen
le fichier	file
le jeu électronique	computer game
le lecteur de disquettes	disk drive
le listage, listing	print-out
le logiciel	software
le matériel	hardware
le menu	menu
le modem	modem
le moniteur	monitor
le pirateur d'informatique	hacker
le progiciel	software package
le software	software
le tableur	spreadsheet (program)

USEFUL WORDS (m)

le chiffre	digit
le contrôle orthographique	spellchecker
le document	document
un informaticien	computer scientist
le langage machine	computer language
le méga-octet (Mo)	megabyte (Mb)
le menu d'assistance	help menu
le formatage	formatting
le retour (automatique) à la ligne	wordwrap
le saut de page	page break

le terminal	terminal
le virus	virus

aimer les jeux électroniques to like (playing) computer games
j'ai eu un ordinateur pour mon anniversaire I got a computer for my birthday
portatif(ive) portable
écrire or **rédiger un programme** to write a program
augmenter la puissance to upgrade
éditer to edit

ESSENTIAL WORDS (f)

la batterie ◇   battery
la souris   mouse

IMPORTANT WORDS (f)

la base de données   database
la console (de visualisation)   VDU, visual display unit
la disquette   floppy disk
les données   data
la fonction   function
une imprimante   printer
l'informatique ◇ ▭   computer science; computer studies
une interface   interface
la machine de traitement de texte ◇   word processor
la manette (de jeu)   joystick
la mémoire   memory
la mémoire morte   ROM, read only memory
la mémoire vive   RAM, random access memory
la sauvegarde   back-up
la touche ◇   key
une unité de disquettes ▭   disk drive unit

USEFUL WORDS (f)

la barre d'espacement   spacebar
la coupe et insertion   cut and paste
l'entrée ◇   input
l'erreur   bug
E/S (entrée/sortie)   I/O (input/output)
la fenêtre   window
une icône   icon
une informaticienne   computer scientist
l'informatisation   computerization
l'interligne   line spacing
la marge   margin
la mise à jour   update
la mise en mémoire   storage
la pagination   pagination

la **PAO (publication assistée par ordinateur)**	DTP (desktop publishing)
la **police de caractères**	font
la **programmation**	programming
la **puce**	chip

introduire *or* **entrer les données** to enter the data
mémoriser les données to store the data
rechercher l'information to retrieve the information
effacer to delete, to erase
justifier à gauche/à droite to justify left/right
retrouver to retrieve

ESSENTIAL WORDS (m)

le Canada	Canada
le Danemark	Denmark
les États-Unis	the United States
le Luxembourg	Luxembourg
le pays ⬦	country
les Pays-Bas	the Netherlands
le pays de Galles	Wales
le Portugal	Portugal
le Royaume-Uni	United Kingdom

ESSENTIAL WORDS (m) (cont)

un Allemand	a German
un Américain	an American
un Anglais	an Englishman
un Belge	a Belgian
un Britannique	a Briton
un Canadien	a Canadian
un Danois	a Dane
un Écossais	a Scotsman
un Espagnol	a Spaniard
un Européen	a European
un Français	a Frenchman
un Gallois	a Welshman
un :Hollandais	a Dutchman
un Irlandais	an Irishman
un Italien	an Italian
un Luxembourgeois	a native of Luxembourg
un Pakistanais	a Pakistani
un Portugais	a Portuguese
un Suisse	a Swiss

The forms given here and on the following pages are the noun forms (i.e. for people) and begin with a capital letter:
il est Danois, c'est un Danois he is a Dane
elle est Danoise, c'est une Danoise she is a Danish girl *etc*

They can be used as adjectives by converting the capital into a small letter:
le paysage danois the Danish countryside
une ville danoise a Danish town

COUNTRIES AND NATIONALITIES

le Brésil	Brazil
le Japon	Japan
le Liban 🕮	Lebanon
le Maroc	Morocco
le Mexique	Mexico
le Pakistan	Pakistan
le Viet-Nam	Vietnam

un Africain	an African
un Algérien	an Algerian
un Antillais 🕮	a West Indian
un Arabe	an Arab
un Asiatique	an Asian
un Australien	an Australian
un Autrichien	an Austrian
un Brésilien	a Brazilian
un Chinois	a Chinese
un Coréen 🕮	a Korean
un Finnois, Finlandais	a Finn
un Grec	a Greek
un Indien	an Indian
un Inuit	an Inuit
un Japonais	a Japanese
un Libanais 🕮	a Lebanese
un Marocain	a Moroccan
un Mexicain	a Mexican
un Néo-Zélandais (*pl inv*)	a New Zealander
un Norvégien	a Norwegian
un Polonais	a Pole
un Roumain	a Romanian
un Russe	a Russian
un Scandinave	a Scandinavian
un Suédois	a Swede
un Tchèque	a Czech
un Tunisien	a Tunisian
un Turc	a Turk
un Vietnamien	a Vietnamese

ESSENTIAL WORDS (f)

l'Allemagne	Germany
l'Angleterre	England
la Belgique	Belgium
l'Écosse	Scotland
l'Espagne	Spain
l'Europe	Europe
la France	France
la Grande-Bretagne	Great Britain
la Grèce	Greece
la :Hollande 📖	Holland
l'Irlande (du Nord)	(Northern) Ireland
l'Italie	Italy
la Suisse	Switzerland

ESSENTIAL WORDS (f) (cont)

une Allemande	a German (girl *or* woman)
une Américaine	an American (girl *or* woman)
une Anglaise	an Englishwoman, an English girl
une Belge	a Belgian (girl *or* woman)
une Britannique	a Briton, a British girl *or* woman
une Canadienne	a Canadian (girl *or* woman)
une Danoise	a Dane, a Danish girl *or* woman
une Écossaise	a Scotswoman, a Scots girl
une Espagnole	a Spaniard, a Spanish girl *or* woman
une Européenne	a European
une Française	a Frenchwoman, a French girl
une Galloise	a Welshwoman, a Welsh girl
une :Hollandaise	a Dutchwoman, a Dutch girl
une Irlandaise	an Irishwoman, an Irish girl
une Italienne	an Italian (girl *or* woman)
une Luxembourgeoise	a native of Luxembourg
une Pakistanaise	a Pakistani (girl *etc*)
une Portugaise	a Portuguese (girl *etc*)
une Suisse	a Swiss (girl *or* woman)

une Canadienne française a French Canadian
je suis Écossaise – je parle anglais I am Scottish – I speak English
un étranger (une étrangère) a foreigner; a stranger

COUNTRIES AND NATIONALITIES

un **Amerloque**	Yankee
un **apatride**	stateless person
un **autochtone**	native
les **flamands**	the Flemish
le **gitan**	gipsy
l'**hymne national**	national anthem
un **indigène**	native
le **méridional**	Southerner (*from the South of France*)
le **métis**	half-caste, half-breed
les **Occidentaux**	Westerners
le **patrimoine culturel**	cultural heritage
un **Peau-Rouge** (*pl* -**x**~**s**)	a Red Indian
le **permis de séjour**	residence permit
le **pied-noir** (*pl*~**s**~**s**)	Algerian-born Frenchman

je reviens des États-Unis I have just come back from the United States
les pays en voie de développement the developing countries
un Canadien français a French Canadian
je suis Écossais – je parle anglais I am Scottish – I speak English
travailler/aller à l'étranger to work/go abroad
la nationalité nationality
je suis né(e) en Écosse I was born in Scotland
j'irais aux Pays-Bas/au pays de Galles/en Italie I would go to the Netherlands/to Wales/to Italy

---

IMPORTANT WORDS (f)

l'Afrique (du Sud)	(South) Africa
l'Algérie	Algeria
l'Amérique du Sud	South America
les Antilles 📖	West Indies
l'Asie	Asia
l'Australie	Australia
l'Autriche	Austria
la Chine	China
la Communauté européenne, CE	European Community, EC
la Corée (du Nord/du Sud) 📖	(North/South) Korea
la Finlande	Finland
l'Inde	India
la Norvège	Norway
la Nouvelle Zélande	New Zealand
la Pologne	Poland
la Roumanie	Romania
la Russie	Russia
la Scandinavie	Scandinavia
la Suède	Sweden
la Tchécoslovaquie	Czechoslovakia
la Tunisie	Tunisia
la Turquie	Turkey

IMPORTANT WORDS (f) (cont)

une Africaine	an African (girl *or* woman)
une Algérienne	an Algerian
une Antillaise 📖	a West Indian
une Arabe	an Arab
une Asiatique	an Asian
une Australienne	an Australian
une Autrichienne	an Austrian
une Brésilienne	a Brazilian

mon pays natal my native country
la capitale de la France the capital of France
de quel pays venez-vous? what country do you come from?
je viens des États-Unis/du Canada/de la France I come from the United States/
from Canada/from France

COUNTRIES AND NATIONALITIES

une Chinoise	a Chinese
une Coréenne 🔲	a Korean
une Finnoise, Finlandaise	a Finn
une Grecque	a Greek
une Indienne	an Indian
une Inuit	an Inuit
une Japonaise	a Japanese
une Libanaise 🔲	a Lebanese
une Marocaine	a Moroccan
une Mexicaine	a Mexican
une Néo-Zélandaise (pl ~s)	a New Zealander
une Norvégienne	a Norwegian
une Polonaise	a Pole
une Roumaine	a Romanian
une Russe	a Russian
une Scandinave	a Scandinavian
une Suédoise	a Swede
une Tchèque	a Czech
une Tunisienne	a Tunisian
une Turque	a Turk
une Vietnamienne	a Vietnamese

USEFUL WORDS (f)

une Amerloque	Yankee
une apatride	stateless person
une autochtone	native
la gitane	gipsy
une indigène	native
l'Indochine	Indochina
la méridionale	Southerner (*from the South of France*)
la métisse	half-caste, half-breed
la métropole	home country
la minorité ethnique	racial *or* ethnic minority
la patrie	homeland
la tribu	tribe

francophone French-speaking

ESSENTIAL WORDS (m)

l'air ◇	air
un agriculteur	farmer
un arbre ◇	tree
le bois ◇ ▭	wood
le bruit ▭	noise
les campagnards	countryfolk, country people
le champ	field
le chasseur ◇	hunter
le château ◇ (*pl* -**x**)	castle
le chemin	path, way
le fermier	farmer
le fleuve ◇	river
le gendarme (*m+f*)	gendarme
l'habitant	inhabitant
le lac ◇	lake
le marché	market
le pays ◇	country; district
le paysage	countryside, scenery
le paysan ◇	country man, farmer
le pique-nique ▭ (*pl* ~**s**)	picnic
le pont ◇	bridge
le sommet ◇	top (*of hill*)
le terrain ◇	soil; ground
le touriste	tourist
le trou	hole
le village	village

IMPORTANT WORDS (m)

le bâton ◇	stick
le blé	corn; wheat
le buisson ◇	bush
le caillou (*pl* -**x**)	pebble
le cottage	cottage
le curé	vicar, priest
un étang	pond
le foin	hay
le fossé	ditch
le :hameau (*pl* -**x**)	hamlet

IMPORTANT WORDS (m) (cont)

le jonc 🕮 [ʒɔ̃]	reed
le marais	marsh
le moulin (à vent)	(wind)mill
le piège ⇨	trap
le poteau (*pl* -x) indicateur	signpost
le poteau (*pl* -x) télégraphique	telegraph pole
le pré	meadow
le ruisseau (*pl* -x)	stream
le sentier	path

USEFUL WORDS (m)

l'alpage	high mountain pasture
le barbelé	barbed wire
le belvédère	panoramic viewpoint
le braconnage	poaching
le braconnier	poacher
le cantonnier	roadmender
le collet	snare, noose
un escarpement	steep slope
le fourré	thicket
un garde champêtre	rural policeman
le garde-chasse (*pl* ~s~(s))	gamekeeper
le garde-fou (*pl* ~s)	railing, parapet
un gîte (rural)	holiday cottage
le marécage	marsh, swamp
le montagnard	mountain dweller
le permis de chasse	hunting permit
le torrent	torrent, mountain stream
le villageois	villager

agricole agricultural
paisible, tranquille peaceful
au sommet de la colline at the top of the hill
tomber dans un piège to fall into a trap
s'égarer to get lost, lose one's way
les gens du pays the local people, the locals

ESSENTIAL WORDS (f)

l' **agriculture**	agriculture
une **auberge** ◇	inn
une **auberge de jeunesse**	youth hostel
la **barrière** ◇	gate; fence
la **botte (de caoutchouc)**	(wellington) boot
la **camionnette** ◇	(small) van
la **campagne**	country
la **canne** ◇	cane, (walking) stick
la **chaussée** ◇	roadway
la **colline**	hill
la **ferme**	farm, farmhouse
la **feuille** ◇	leaf
la **forêt** ◇	forest
la montagne ▭	mountain
la **paysanne**	country woman, peasant
la **pierre** ◇	stone, rock
la **poussière** ◇	dust
la **propriété**	property, estate
la **rivière** ◇	river
la **route** ◇	road
la **terre** ◇	earth, ground
la **tour** ◇	tower
la **touriste**	tourist
la **tranquillité**	peace
la **vallée**	valley

IMPORTANT WORDS (f)

la **boue** ◇	mud
la **bruyère**	heather
la carrière ▭ ◇	quarry
la **caverne**	cave
la **chasse**	hunting; shooting
la **chaumière** ◇	(thatched) cottage
la **chute d'eau**	waterfall
la **:haie** ◇	hedge
les **jumelles** ◇	binoculars
la lande ◇ ▭	moor, heath
la **mare**	pond
la **moisson** ◇	harvest

IMPORTANT WORDS (f) (cont)

la plaine	plain
la récolte ◇	crop, harvest
la rive	bank (*of river*)
les ruines	ruins
la source	spring, source
la vendange	grape harvest

USEFUL WORDS (f)

la berge	bank (*of river*)
la cabane	hut, cabin
la cascade	waterfall
une écluse	lock (gate)
la garrigue	scrubland
la grotte ◇	cave
la montagnarde	mountain dweller
la parcelle de terre	plot of land
les ronces	brambles, thorns
la villageoise	villager

en aval downstream; downhill
boueux(euse) muddy
campagnard(e) country
faire la moisson to bring in the harvest
faire les vendanges to harvest the grapes
en plein air in the open air
je connais le chemin du village I know the way to the village
ils ont fait tout le chemin à pied/en bicyclette they walked/cycled the whole way
nous avons fait un pique-nique we went for a picnic
traverser un pont to cross a bridge
à la campagne on trouve ... in the country you find ...
aller à la campagne to go into the country
habiter la campagne/la ville to live in the country/in the town
la rivière/le ruisseau coule the river/the stream flows
cultiver la terre to cultivate *or* till the land
se diriger vers to make one's way towards

ESSENTIAL WORDS (m)

l'**âge**	age
un **air** ◇	appearance
le **bouton** ◇	spot, pimple
le **caractère** ◇	character, nature
les **cheveux**	hair
le **teint**	complexion, colouring
les **verres (de contact)**	contact lenses
les **yeux**	eyes

quel âge avez-vous? how old are you?

j'ai 15 ans, mon frère a 13 ans I'm 15, my brother is 13

il vient d'avoir ses 17 ans he's just (turned) 17

un homme/une femme d'un certain âge a middle-aged man/woman

il/elle a l'air triste he/she looks sad

il/elle a l'air sympa *or* **sympathique** he/she looks nice *or* friendly

il/elle a l'air fatigué(e) he/she looks tired

de quelle couleur sont tes yeux/tes cheveux? what colour are your eyes/is your hair?

j'ai les cheveux blonds I have blond *or* fair hair

j'ai les yeux bleus/verts I have blue eyes/green eyes

les cheveux bouclés/ondulés curly/wavy hair

les cheveux bruns dark *or* brown hair

les cheveux châtains chestnut-coloured hair

les cheveux frisés curly hair

les cheveux roux/noirs/gris red/black/grey hair

les cheveux teints dyed hair

court(e) short; **long(ue)** long

à mon avis in my opinion

joli(e) pretty; **laid(e)** ugly; **affreux(euse)** hideous

beau (*and* **bel** *before a vowel or aspirate h*) handsome; **belle** beautiful

grand(e) tall; **petit(e)** small

jeune young; **vieux** (*and* **vieil** *before a vowel or aspirate h*), **vieille** old

gros(se) fat; **mince** slim, thin

maigre skinny, thin

barbu bearded, with a beard; **chauve** bald

il pleurait he was crying; **il souriait** he was smiling

il avait les larmes aux yeux he had tears in his eyes

un homme de taille moyenne a man of average height

je mesure *or* **je fais 1 mètre 70** I am 1 metre 70 tall

il pèse 60 kilos his weight is 60 kilos

DESCRIBING PEOPLE

le défaut	fault; bad quality
le dentier ▭	(set of) false teeth
le géant	giant
le geste	movement, gesture
le grain de beauté ▭	mole, beauty spot
le poids	weight

un abruti	moron
un accent	accent
un albinos (*pl inv*)	albino
un âne ◇	ass, fool
l'aplomb	composure, self-assurance
un arnaqueur	swindler
un arriviste	go-getter
un aveugle	blind person
un bec-de-lièvre (*pl* ~**s**~~)	harelip
le bon sens	common sense
le bonhomme [bɔnɔm]	
(*pl* **bonshommes**)	chap, fellow, bloke
le bosseur	hard worker
le bossu	hunchback
le chignon	bun (*in hair*)
le colosse	giant
le comportement	behaviour
un couche-tard (*pl inv*)	late-bedder
un couche-tôt (*pl inv*)	early-bedder
les couettes	bunches (*in hair*)
le don	gift, talent
le droitier	right-handed person
l'enfantillage	childishness
un épi (de cheveux)	tuft (of hair)
un ermite	hermit
un érudit	scholar

il a bon caractère he is good-natured *or* good-tempered
il a mauvais caràctere he is ill-natured *or* bad-tempered
avoir le teint jaune/pâle to have a sallow/pale complexion
porter des lunettes/des verres de contact to wear glasses/contact lenses

ESSENTIAL WORDS (f)

la barbe	beard
la beauté	beauty
la confiance	confidence
la conscience	conscience
la couleur 🕮	colour
la curiosité 🕮	curiosity
une expression	expression
l'habitude	habit
l'humeur	mood, humour
la laideur	ugliness
la larme	tear
les lunettes	glasses
la moustache	moustache
la personne	person
la pièce d'identité ⇨ 🕮	(means of) identification
la qualité	(good) quality
la taille ⇨	height, size; waist

agréable/désagréable pleasant/unpleasant
aimable nice
amusant(e) amusing, entertaining
bête stupid
calme/agité(e) calm/excited
célèbre famous
charmant(e) charming
clair(e) fair (*of skin*), light (*of hair, eyes*)
content(e)/mécontent(e) pleased/displeased
dégoûtant(e) disgusting
drôle funny
formidable great, fantastic
gai(e)/sérieux(euse) cheerful/serious
gentil(le) kind
heureux(euse) happy; **malheureux(euse)** unhappy, unfortunate
important(e) important
méchant(e) naughty
nerveux(euse) nervous, tense
optimiste/pessimiste optimistic/pessimistic
poli polite
sage well-behaved
timide shy

DESCRIBING PEOPLE

l'esprit	wit
le fainéant	idler, loafer
un fanfaron	braggard
les favoris	sideburns
le fayot	crawler, boot-licker
le flatteur	flatterer
le frimeur	poser
le gamin	kid
un garçon manqué	tomboy
le gars [gɑ]	lad; guy
le goujat	boor
l'hippie	hippie
l'hypocrite	hypocrite
un individu	individual
un introverti	introvert
un ivrogne	drunkard
un lève-tard (pl inv)	late riser
un lève-tôt (pl inv)	early riser
le bohémien	gipsy
le marginal	dropout
le mec	guy, bloke
le menteur	liar
le nain	dwarf
un octogénaire	man in his eighties
le physionomiste	person who has a good memory for faces
le pique-assiette (pl inv)	scrounger
le point faible	weak spot
un quadragénaire	man in his forties
un quinquagénaire	man in his fifties
le rabat-joie (pl inv)	killjoy
le reclus	recluse
le rentier	person of private or independent means
le rêveur	dreamer
le romanichel	gipsy
le septuagénaire	seventy-year-old man
le sexagénaire	sixty-year-old man
le sexiste	sexist
le signe du zodiaque	sign of the zodiac

IMPORTANT WORDS (f)

une allure 📖	walk, gait
la boucle	curl
la cicatrice	scar
la fossette	dimple
la frange	fringe
la :honte ◇	shame
les lentilles	contact lenses
la permanente	perm
la ressemblance	resemblance, similarity
la ride	wrinkle
la sueur	sweat
la tache de rousseur	freckle
la tache de son 📖	freckle
la timidité	shyness, timidity

USEFUL WORDS (f)

une abrutie	moron
une albinos (*pl inv*)	albino
une allumeuse	tease, vamp
une andouille ◇	clot, dummy
une arriviste	go-getter
l'assiduité	assiduousness
une aveugle	blind person
la balafre	scar
la bohémienne	gipsy
la bonté	kindness
la bosseuse	hard worker
la bossue	hunchback
la calvitie	baldness
la carrure	build (*of person*)
les cernes	(dark) rings, shadows (under the eyes)

c'est une bonne personne he *or* she is a good person
je suis toujours de bonne humeur I am always in a good mood
il est de mauvaise humeur he is in a bad mood
il s'est mis en colère he got angry
elle ressemble à sa mère she looks like her mother
il a l'habitude de se ronger les ongles he has a habit of biting his nails

---

DESCRIBING PEOPLE

les signes particuliers	distinguishing marks
le simple d'esprit	simpleton
le solitaire	recluse, loner
le sosie	double
le sourd	deaf man
le sourd-muet (pl ~**s**~**s**)	deaf-mute
le style de vie	lifestyle
le surnom	nickname
le tatouage	tattoo
le tic	(nervous) twitch
le tricheur	cheat
un unijambiste	one-legged man
un vieux garçon	bachelor
le zézaiement	lisp

aux cheveux oxygénés with bleached hair
avoir un don pour to have a gift for
avoir bonne/mauvaise mine to look well/poorly
avoir des œillères to wear blinkers, be blinkered
avoir la quarantaine to be around forty
avoir de la repartie to be quick at repartee
des mauvaises fréquentations bad company
être d'un abord facile to be approachable
homme de belle/forte carrure well-built/burly man
il a une apparence négligée he is shabby-looking
il bégaye he has a stutter
il mue his voice is breaking
Monsieur/Madame Untel Mr/Mrs so-and-so
(le) torse nu stripped to the waist
(les) bras nus barearmed
nu-jambes, (les) jambes nues barelegged
nu-pieds, (les) pieds nus barefoot
nu-tête, (la) tête nue bareheaded
prendre de l'embonpoint to grow stout
sans apprêt unaffected
se faire faire des mèches to have one's hair streaked
se faire faire une coloration to have one's hair dyed
se faire faire une mise en plis to have one's hair set
se faire faire un brushing to have one's hair blow-dried
un menton saillant prominent chin
souffrir d'un dédoublement de la personnalité to suffer from a split personality

la commère	gossip
la crapule	villain
la droitière	right-handed person
une érudite	scholar
la fainéante	idler, loafer
une fanfaronne	braggard
la fillette	(little) girl
la flatteuse	flatterer
la frimeuse	poser
la frisette	little curl
la gamine	kid
la garce	bitch
la gonzesse	chick, bird
une grande personne	grown-up
l'hippie	hippie
la :houppe	tuft (*of hair*)
l'hypocrite	hypocrite
une introvertie	introvert
une ivrogne	drunkard
une lève-tard (*pl inv*)	late riser
une lève-tôt (*pl inv*)	early riser
la mèche	lock (*of hair*)
la marginale	dropout
la menteuse	liar
la naine	dwarf
la nana	bird, chick
la natte	plait
une octogénaire	woman in her eighties
les personnes âgées	the elderly
une quadragénaire	woman in her forties
la queue de cheval	ponytail
une quinquagénaire	woman in her fifties
la raie	parting (*of hair*)
la recluse	recluse
la rentière	person of private *or* independent means
la rêveuse	dreamer
la romanichelle	gipsy
la septuagénaire	seventy-year-old woman
la sexagénaire	sixty-year-old woman

la **sexiste**	sexist
la **silhouette**	figure
la **sourde**	deaf woman
la **sourde-muette** (*pl* ~**s**~**s**)	deaf-mute
la **tache de vin**	strawberry mark
la **tresse**	braid, plait
la **tricheuse**	cheat
une **unijambiste**	one-legged woman

des **pommettes saillantes** high cheekbones
avoir la soixantaine to be around sixty
hardi(e) bold, daring; **alerte** agile, nimble
ambitieux(euse) ambitious
anticonformiste nonconformist
arriéré(e) backward; **autodidacte** self-taught
borné(e) narrow-minded; **candide** ingenuous, naïve
boudeur(euse) sullen, sulky
chahuteur(euse) rowdy; **chauvin(e)** chauvinistic
coquet(te) smart; appearance-conscious
daltonien(ne) colour-blind
débrouillard(e) smart, resourceful
décontracté(e) relaxed; laid back
désinvolte casual, off-hand
droitier(ière) right-handed; **gaucher(ère)** left-handed
effronté(e) cheeky, insolent
égoïste selfish; **entêté(e)** stubborn
espiègle mischievous; **excentrique** eccentric
étourdi(e) scatterbrained, absent-minded
frileux(euse) sensitive to (the) cold
galant(e) courteous, gentlemanly
gâteux(euse) senile; **honnête** honest
maladroit(e) clumsy; **muet(te)** dumb
misogyne misogynous, woman-hating
myope short-sighted; **nu(e)** naked
oisif(ive) idle; **paresseux(euse)** lazy
pince-sans-rire *inv* deadpan; **prétentieux(euse)** pretentious
puéril(e) childish; **ras(e)** close-cropped
réfléchi(e) thoughtful; **réservé(e)** reserved
rougir to blush; **sadique** sadistic
sauvage unsociable; **séduisant(e)** seductive; attractive
sénile senile; **sensé(e)** sensible
sensible sensitive; **snob** snobbish

SIGNS OF THE ZODIAC

l'horoscope   horoscope

Bélier	Aries
Taureau	Taurus
Gémeaux	Gemini
Cancer	Cancer
Lion	Leo
Vierge	Virgo
Balance	Libra
Scorpion	Scorpio
Sagittaire	Sagittarius
Capricorne	Capricorn
Verseau	Aquarius
Poissons	Pisces

être (du) Taureau to be Taurus *or* a Taurean
elle est (des) Poissons she is Pisces *or* a Piscean

soigneux(euse) tidy, neat; meticulous
sot(te) silly, foolish; **svelte** slender, slim
sympathique nice, likeable
tatillon(e) pernickety; **téméraire** reckless, rash
têtu(e) stubborn; **trapu(e)** squat, stocky
vaniteux(euse) vain, conceited; **vantard(e)** boastful
vieux jeu *inv* old-fashioned, behind the times
virile manly, virile; **voûté(e)** bent, stooped
xénophobe xenophobic

ESSENTIAL WORDS (m)

un absent	absentee
l'allemand	German
un ami	friend
l'anglais	English
le baccalauréat, bac ◇ ⊞	French school-leaving certificate / exam
le brevet ⊞	exam taken at end of 4th form
le bulletin ⊞	report
le camarade (de classe)	(school) friend
le certificat	certificate
le CES ⊞ *(collège d'enseignement secondaire)*	comprehensive school
le club	club
le collège	secondary school
le concert ◇	concert
le concours ◇	competitive exam
le copain	pal
le couloir ⊞	corridor
les cours	lessons
les cours commerciaux ⊞	secretarial studies
le dessin	drawing (*subject, work*)
le devoir	homework exercise
les devoirs	homework
le diplôme ⊞	diploma
le directeur ◇	headmaster
le dortoir ⊞	dormitory
un échange	exchange
un écolier	schoolboy
l'électronique ◇ ⊞	electronics
un élève	pupil, schoolboy
un emploi du temps ⊞	timetable

aimer to like; **détester** to detest; **préférer** to prefer
depuis combien de temps apprenez-vous le français? how long have you been learning French?
j'apprends le français depuis 3 ans I've been learning French for 3 years
apprendre qch par cœur to learn sth off by heart
j'ai des devoirs tous les soirs I have homework every evening
ma petite sœur va à l'école – moi, je vais au collège my little sister goes to primary school – I go to secondary school

ESSENTIAL WORDS (f)

une absence	absence
une absente	absentee
une amie	friend
la biologie	biology
la camarade (de classe)	(school) friend
la cantine	dining hall, canteen
la chimie	chemistry
la classe □	class; year; classroom
la conférence	lecture
la copine	pal
la cour ◇ (de récréation)	playground
la cuisine ◇	cookery
la directrice ◇	headmistress
une école (primaire)	(primary) school
une écolière	schoolgirl
l'éducation physique	physical education, P.E.
l'électronique ◇ □	electronics
une élève	pupil, schoolgirl
une erreur ◇	mistake, error
l'étude (de) □	study (of)
les études □	studies
une étudiante □	student
une excursion	trip, outing
une expérience ◇ □	experiment
la faute ◇ □	mistake
la géographie	geography
les grandes vacances	summer holidays
la gymnastique	gym
l'histoire	history; story
une institutrice	primary schoolteacher
la journée ◇	(whole) day; daytime
les langues ◇ (vivantes)	(modern) languages
la leçon (de français)	(French) lesson
la lecture	reading
les mathématiques, math(s)	mathematics, maths
la matière	(school) subject
la musique ◇	music

je vais repasser la leçon demain I'll go over the lesson again tomorrow
repasser ses leçons, réviser to revise

EDUCATION

l'**enseignement** 📖	education, teaching
l'**espagnol**	Spanish
un **étudiant** 📖	student
un **examen**	exam, examination
le **français**	French
le **groupe**	group
un **instituteur**	primary schoolteacher
l'**italien**	Italian
le **jour de congé**	day off, holiday
le **laboratoire** 📖	laboratory
le **lycée**	secondary school
le **mot**	word
le **prix** ✧	prize
le **professeur** (*m+f*)	(secondary school) teacher
le **progrès** 📖	progress
le **règlement** ✧	rule
le **résultat**	result
le **travail**	work
les **travaux manuels**	handicrafts

un(e) élève sérieux(euse)/paresseux(euse) a serious/lazy pupil
j'aimerais enseigner le français I would like to teach French
le professeur d'allemand the German teacher
en fin de trimestre j'ai gagné un prix I won a prize at the end of term
j'ai dû faire des progrès I must have made progress
bientôt il me faudra passer un examen soon I'll have to sit an exam
est-ce que je vais être reçu(e)? – est-ce que je vais échouer? will I pass? – will I fail?
facile/difficile easy/difficult
intéressant(e) interesting; **ennuyeux(euse)** boring
lire to read; **écrire** to write; **écouter** to listen (to); **regarder** to look at, watch
répéter to repeat; **répondre** to reply; **parler** to speak
elle est (la) première/dernière de la classe she is top/bottom of the class
entrer en classe to go into the classroom
quand je fais une erreur je l'efface et je la corrige when I make a mistake I rub it out and correct it
quelquefois nous faisons des excursions sometimes we go on trips
j'ai fait une faute de grammaire I made a grammatical mistake
ce n'est pas de ma faute it's not my fault
j'ai eu une bonne note I got a good mark *or* good marks
répondez à la question! answer the question!

ESSENTIAL WORDS (f) (cont)

la natation 🕮	swimming
la note ◇ 🕮	mark
la phrase	sentence
la physique	physics
la piscine ◇	swimming pool
la question ◇	question
la récréation	break, interval
la règle ◇	rule
la rentrée (des classes)	beginning of term
la réponse ◇	answer, reply
la salle de classe	classroom
la salle des professeurs	staffroom
la science	science
la traduction	translation (technique, exercise)
une université 🕮	university
les vacances ◇	holidays
la version	(unseen) translation (from French)

CLASSES

sixième (f)	first year of secondary school
cinquième (f)	second year of secondary school
quatrième (f)	third year of secondary school
troisième (f)	fourth year of secondary school
seconde (f)	fifth year of secondary school
première (f)	penultimate year of secondary school
terminale (f)	final year of secondary school

en sixième in first year, in the first form
en première in sixth year, in the sixth form
en terminale in final year

You may want to talk about British concepts of head boy/head girl and prefects. In French these are:
l'élève (m/f) **de terminale chargé(e) d'un certain nombre de responsabilités**
and:
l'élève (m/f) **des grandes classes chargé(e) de la discipline**

EDUCATION

les arts ménagers	domestic science, homecraft
le brouillon	rough copy
le collège technique	technical college
le couvent	convent; convent school
le demi-pensionnaire (pl ~s)	day-boy
un examinateur	examiner
un exercice	exercise
un externe	day-boy
le grec	Greek
un internat	boarding school
un interne	boarder
le latin	Latin
le lycéen	secondary school pupil
le pensionnaire ◊	boarder
le principal	headmaster (*of collège*)
le proviseur	headmaster (*of lycée*)
le rang	row (*of seats etc*)
le russe	Russian
le test	test
le thème	prose translation
le trimestre	term
le vestiaire	cloakroom
le vocabulaire	vocabulary

l' ABC	rudiments
un agrégé	holder of the agrégation
un amphithéâtre	lecture theatre
un analphabète	illiterate
l' appel	register
un auditeur libre	unregistered student (*attending lectures*)
le bachelier	holder of the baccalauréat
le bachotage	cramming

présent(e) present; **absent(e)** absent
punir un(e) élève to punish a pupil
mettre une colle à quelqu'un to give somebody detention, keep somebody in
taisez-vous! be quiet!

82

IMPORTANT WORDS (f)

l'algèbre	algebra
l'arithmétique	arithmetic
la colle ◊	detention
la composition	composition, essay; class exam
la conduite	behaviour
la couture	sewing, needlework
la distribution des prix	prize-giving
une école maternelle	nursery school
une école mixte	mixed school, co-ed
une école normale	College of Education
l'écriture	handwriting
une épreuve	test
la faculté, fac	university
la feuille de présence ▢	absence sheet
la géométrie	geometry
la grammaire	grammar
l'informatique ◊ ▢	computer studies
l'instruction religieuse	religious instruction
une interne	boarder
la lycéenne	secondary school pupil
la menuiserie	woodwork
la moyenne ▢	fifty per cent, half marks
l'orthographe	spelling
la poésie	poetry
la punition	punishment
la retenue	detention
les sciences naturelles	biology, natural history
la tache	blot
la tâche	task

USEFUL WORDS (f)

l'agrégation	highest teaching diploma in France (*competitive examination*)
une agrégée	holder of the agrégation
une analphabète	illiterate
la bachelière	holder of the baccalauréat
la bourse	grant
la boursière	grant-holder
la cité universitaire	(student) halls of residence

le bahut	"school"
le bilinguisme	bilingualism
le boursier	grant-holder
le braille	Braille
le calcul	arithmetic
le cancre	dunce
le carnet de notes	school report
le censeur (*m+f*)	deputy head
le collégien	secondary school pupil
le commentaire de texte	commentary
le concurrent ◊	candidate
le conférencier	lecturer
le conservatoire	school, academy (*of music, drama etc*)
le contrôle	test
le contrôle continu	continuous assessment
le corrigé	correct version
le doyen	dean (*of faculty*)
un échec	failure
un éducateur spécialisé	specialist teacher
l'effectif	(total) number of pupils
un enseignant	teacher
un établissement scolaire	educational establishment
l'externat	day school
les frais de scolarité	school fees
l'inspecteur d'Académie	(regional) director of education
un intendant	bursar
l'interclasse	break (*between classes*)
le livret scolaire	(school) report
le maître auxiliaire (MA)	temporary teacher
le maître d'école	schoolmaster
le maître de conférences	senior lecturer
le maître-assistant (*pl* ~**s**~**s**)	lecturer
le major de la promotion	first in one's year
le mot d'excuse	note from one's parents (*to explain absence etc*)
le partiel	class exam
le pensionnat	boarding school
le polycopié	handout, duplicated notes
le préau (*pl* -**x**)	covered playground

la collégienne	secondary school pupil
la commission d'examen	board of examiners
la concurrente	candidate
la conférencière	lecturer
la dictée	dictation
la dispense (d'un examen)	exemption (from an exam)
la dissertation	essay
la doyenne	dean (of faculty)
l'école maternelle	nursery school
une éducatrice spécialisée	specialist teacher
une encyclopédie	encyclopaedia
une enseignante	teacher
une épreuve d'examen	exam paper
l'étude	study room
la géologie	geology
les grandes écoles	prestigious university-level colleges with competitive entrance examinations
l'infirmerie	sick room
l'inscription	enrolment
l'instruction civique	civics
l'intendance	bursar's office
une intendante	bursar
une interrogation	test
la maître-assistante (pl ~s~s)	lecturer
la maîtresse d'école	schoolmistress
la maîtrise	master's degree
la récréation	break
la rédaction	essay, composition
la remplaçante	supply teacher
la résidence universitaire	(university) hall(s) of residence
la stagiaire	trainee
la surdouée	gifted child
la surveillante	monitor; surpervisor
l'unité de valeur (UV)	(university) course, credit

"arrêtez votre bavardage!" ''stop chattering!''
faire l'appel to call the register
il a été recalé he failed

le premier/second cycle	middle/upper school
le ramassage scolaire	school bus service
le rattrapage	remedial classes
le recteur	(regional) director of education
le réfectoire	refectory
le remplaçant	supply teacher
le restaurant universitaire (RU)	university refectory
le retardataire	latecomer
le secrétariat	(secretary's) office
le stage	training period; training course
le stagiaire	trainee
un sujet d'examen	examination question
le surdoué	gifted child
le surveillant	monitor; supervisor
le télé-enseignement	distance teaching *or* learning

travailler to work; **apprendre** to learn; **étudier** to study
j'ai eu un trou (de mémoire) my mind went blank
matière à option optional subject
se faire exclure de to get o.s. expelled from
un(e) élève brillant(e) a bright pupil
une licence ès lettres/en droit arts/law degree
arriéré(e) backward; **autodidacte** self-taught
décalquer to trace (*a design or map*)
laïque state (*as opposed to private and Roman Catholic*)
redoubler to repeat a year; **retardé(e)** backward
les Français ont congé le mercredi French children have Wednesdays off
mon ami prépare son bac my friend is sitting his school-leaving exam (*like
A-levels*)

ESSENTIAL WORDS (m)

l' air ◇	air
l' aluminium	aluminium
les Amis de la Terre	Friends of the Earth
les animaux	animals
les arbres	trees
un article	article
l' avenir ◇	future
le bois ◇ ▭	wood
le climat ▭	climate
le déodorant	deodorant
le détergent	detergent
le(s) dommage(s)	damage
un écologiste	environmentalist, ecologist
l' environnement ▭	environment
un événement	event
le fleuve ◇	river
les fruits ◇	fruit
le gas-oil ◇ ▭	diesel
le gaz ◇	gas
le gouvernement ◇	government
les habitants	inhabitants
le journal ◇ (*pl* **journaux**)	newspaper
le lac ◇	lake
les légumes ◇	vegetables
le magazine	magazine
le monde ▭	world
le pays ◇	country
les poissons	fish
le polluant ▭	pollutant
le temps ◇	weather; time
le trou	hole
le verre ◇	glass
les Verts	the Greens

j'aimerais faire le tour du monde I'd like to go round the world
le meilleur (la meilleure) du monde the best in the world
il y a beaucoup de monde there are lots of people
à l'avenir in the future
polluer to pollute; **détruire** to destroy

IMPORTANT WORDS (m)

un atomiseur	aerosol
le canal (*pl* **canaux**)	canal
le chercheur ◇	researcher
les chlorofluorocarbures (CFCs)	chlorofluorocarbons (CFCs)
le combustible	fuel
le continent	continent
les déchets nucléaires/industriels	nuclear/industrial waste
le dépotoir ▭	dumping ground
le désert	desert
un engrais (chimique) ▭	(artificial) fertilizer
un océan ◇	ocean
le pot catalytique ▭	catalytic converter
le produit	product
les produits chimiques	chemicals
le réchauffement de la terre	global warming
les scientifiques	scientists
l'univers	universe

USEFUL WORDS (m)

un additif	additive
l'affaissement	subsidence
l'aménagement du territoire	town and country planning
l'assainissement	purification; decontamination
le barrage	dam
le colorant	colouring
le détritus	rubbish, refuse
un écologiste	environmentalist, ecologist
l'écosystème	ecosystem
l'effet de serre	greenhouse effect
le gaspillage	waste
un insecticide	insecticide
l'oxyde de carbone	carbon monoxide
un pesticide	pesticide
le réacteur nucléaire	nuclear reactor
le recyclage	recycling
le règne végétal/animal	vegetable/animal kingdom
le sourcier	water diviner

ESSENTIAL WORDS (f)

les autos	cars
les bouteilles	bottles
la carte ◇	map
la chaleur	heat
la côte ◇	coast
la crise	crisis
l'eau ◇	water
l'essence ◇ ▫	petrol
les fleurs	flowers
la forêt ◇	forest
une île ◇	island
les informations ◇ ▫	news
la lessive ◇	washing powder; washing
la mer ◇	sea
la montagne ◇ ▫	mountain
la nourriture	food
la plage	beach
la planète	planet
les plantes	plants
la pluie ◇	rain
la pollution ▫	pollution
la question ◇	question
la région	region, area
la rivière ◇	river
la solution	solution
la taxe ◇ ▫	tax
la température ◇	temperature
la terre ◇	earth
une usine ◇	factory
la zone ▫	zone

contaminer to contaminate; **interdire qch** to ban sth
sauver to save; **recycler** to recycle
vert(e) green; **organique** organic; **biodégradable** biodegradable
nocif(ive) pour l'environnement harmful to the environment
bon(ne) pour la nature environment-friendly
l'essence sans plomb unleaded petrol
écologique environmentally friendly
la consommation d'énergie power consumption

THE ENVIRONMENT

la catastrophe	catastrophe
la couche d'ozone	ozone layer
la forêt tropicale humide	tropical rainforest
la lune	moon
la nocivité 📖	harmfulness
les pluies acides	acid rain
la population	population
les vidanges	sewage

la centrale nucléaire	nuclear power station
la décharge	dump; landfill site
la décomposition	breakdown of matter
la défense de l'environnement	conservation
la disparition	disappearance, extinction
une écologiste	environmentalist, ecologist
les économies d'énergie	energy conservation
l'élimination des déchets	waste disposal
l'érosion	erosion
la faune	wildlife, fauna
la flore	flora
la fuite	leakage
la fumée ◇	smoke
l'irradiation	radiation
l'irrigation	irrigation
la mesure antipollution	anti-pollution measure
les normes	standards
la radioactivité	radioactivity
la récupération	salvage, reprocessing
les ressources naturelles	natural resources
les retombées (radioactives)	(radioactive) fallout
la substance toxique	noxious substance

l'énergie électrique/mécanique/nucléaire/éolienne electrical/mechanical/
nuclear/wind power *or* energy
la plate-forme de forage/pétrolière drilling/oil rig
la pollution par le bruit noise pollution
qui ne détruit pas l'ozone ozone-friendly
un risque pour la santé a health hazard

un **adolescent**	teenager
les **adultes**	adults
l'**âge**	age
l'**aîné**	elder, eldest
le **beau-père** (*pl* ~**x** ~**s**)	father-in-law; stepfather
le **bébé** ⊞	baby
le **cadet**	younger, youngest
le **célibataire**	bachelor
le **cousin** ⊞	cousin
un **enfant**	child
l'**époux**	husband, spouse
le **fiancé**	fiancé
le **fils** [fis]	son
le **frère**	brother
le **garçon** ◊	boy
les **gens** ⊞	people
le **grand-père** (*pl* ~**s** ~**s**)	grandfather
les **grands-parents**	grandparents
l'**homme**	man
le **jeune homme**	youth, young man
le **mari** ⊞	husband
le **neveu**	nephew
le **nom**	name
le **nom de famille**	surname
un **oncle**	uncle
le **parent**	parent; relation, relative
les **parents**	parents; relations, relatives
le **père**	father
le **petit-fils** (*pl* ~**s** ~)	grandson
les **petits-enfants** [pətizɑ̃fɑ̃]	grandchildren
le **prénom**	first *or* Christian name
le **veuf**	widower
le **voisin**	neighbour

naître to be born; **vivre** to live; **mourir** to die
je suis né(e) en 1980 I was born in 1980
ma grand-mère est morte my grandmother is dead
elle est morte en 1985 she died in 1985
il/elle est célibataire he/she is not married, he is a bachelor/she is a spinster
il est veuf he is a widower; **elle est veuve** she is a widow

THE FAMILY

le **beau-fils** [bofis] (*pl* ~**x**~**s**)	son-in-law
le **beau-frère** (*pl* ~**x**~**s**)	brother-in-law
le **couple**	couple
le **demi-frère** (*pl* ~**s**)	half-brother
le **gendre**	son-in-law
le **gosse**	kid
les **jumeaux**	twins
le **marié**	bridegroom
les **nouveaux mariés**	newly-weds
un **orphelin**	orphan
le **parrain**	godfather
le **retraité**	(old age) pensioner
le **surnom**	nickname
les **triplés**	triplets
le **vieillard**	old man

un **aïeul**	grandfather
les **aïeux**	forefathers, ancestors
un **ancêtre**	ancestor
l'**arrière-grand-père** (*pl* ~~**s**~**s**)	great-grandfather
les **arrière-grands-parents**	great-grandparents
l'**arrière-petit-fils** (*pl* ~~**s**~)	great-grandson
les **arrière-petits-enfants**	great-grandchildren
le **bambin**	little child
les **beaux-parents**	in-laws
le **benjamin** ◊	youngest child
le **bisaïeul**	great-grandfather
le **conjoint**	spouse
le **cousin germain**	first cousin
l'**entourage**	family (circle)
les **époux**	(married) couple
l'**extrait de naissance**	birth certificate
le **filleul**	godson
le **grand frère**	older brother
le **grand-oncle**	great uncle
l'**héritage**	inheritance
un **héritier**	heir
l'**inceste**	incest

ESSENTIAL WORDS (f)

une **adolescente**	teenager
l'**aînée**	elder, eldest
l'**allocation familiale** 🔲	child benefit
la **belle-mère** (*pl* ~**s**~**s**)	mother-in-law; stepmother
la **cadette**	younger, youngest
la **célibataire**	spinster
la **cousine** 🔲	cousin
la **dame** ◊	lady
une **enfant**	child
une **épouse**	wife, spouse
la **famille**	family
la **femme**	woman; wife
la **fiancée**	fiancée
la **fille**	daughter
la **grand-mère** (*pl* ~(**s**)~**s**)	grandmother
les **grandes personnes**	grown-ups
la **jeune fille**	girl
la **jeune fille au pair**	au pair girl
la **jeunesse**	youth (*of life*); young people
la **mère**	mother
la **nièce**	niece
la **personne**	person; (*in plural*) people
la **petite-fille** (*pl* ~**s**~**s**)	granddaughter
la **sœur**	sister
la **tante**	aunt
la **veuve**	widow
la **voisine** ◊	neighbour

maman! mummy!; **papa!** daddy!
j'ai un frère et une sœur I have one brother and one sister
plus âgé(e) que moi older than me
plus jeune que moi younger than me
je n'ai pas de frères/de sœurs I don't have any brothers/sisters
je suis enfant unique I am an only child
toute la famille the whole family
grandir to grow; **vieillir** to get old
les jeunes, les jeunes gens young people
je m'entends bien avec mes parents I get on well with my parents
compréhensif(ive) understanding
j'ai des disputes avec ma sœur I have arguments with my sister

USEFUL WORDS (m) (cont)

le **ménage**	(married) couple
le **nourrisson**	(unweaned) infant
un **orphelinat**	orphanage
le **porte-bébé** (*pl* ~**s**)	baby sling *or* carrier
les **proches**	close relatives, next of kin
les **quadruplés**	quadruplets, quads
les **quintuplés**	quintuplets, quins
la **situation de famille**	marital status
le **vieux garçon**	bachelor

un(e) des voisins one of the neighbours
quel âge avez-vous? how old are you?
j'ai 15 ans – il a 40 ans I'm 15 – he is 40
comment vous appelez-vous? what is your name?
je m'appelle Robert my name is Robert
il s'appelle Jean-Pierre his name is Jean-Pierre
fiancé(e) engaged; **marié(e)** married; **divorcé(e)** divorced; **séparé(e)** separated
épouser qn, se marier avec qn to marry sb
se marier to get married; **divorcer** to get divorced
quel est votre nom/votre nom de famille/votre prénom? what is your name/
  your surname/your first name?
nom de jeune fille maiden name

IMPORTANT WORDS (f)

la **belle-fille** (*pl* ~**s**~**s**)	daughter-in-law
la **belle-sœur** (*pl* ~**s**~**s**)	sister-in-law
la **demi-sœur** (*pl* ~**s**~**s**)	half-sister
la **femme au foyer** ◊	housewife
la **gosse**	kid
la **jeune mariée**	bride
les **jumelles** ◊	twins, twin sisters
la **marraine**	godmother
la **ménagère**	housewife
la **nurse**	nanny
une **orpheline**	orphan
la **retraitée**	(old age) pensioner
la **vieillesse**	old age

USEFUL WORDS (f)

une **aide familiale**	mother's help
une **aïeule**	grandmother
une **ancêtre**	ancestor
l' **arrière-grand-mère** (*pl* ~~~**s**)	great-grandmother
l' **arrière-petite-fille** (*pl* ~~**s**~**s**)	great-granddaughter
les **attaches**	ties, connections
la **belle-famille** (*pl* ~**s**~**s**)	in-laws
la **benjamine**	youngest child
la **bisaïeule**	great-grandmother
la **cagnotte**	kitty; nest egg
la **conjointe**	spouse
la **cousine germaine**	first cousin
la **crèche**	crèche, day nursery
la **dot**	dowry
la **fessée**	spanking
la **fille-mère** (*pl* ~**s**~**s**)	unmarried mother
la **filleule**	goddaughter
la **garderie**	day nursery, crèche
la **gouvernante**	governess
la **grand-tante** (*pl* ~**s**~**s**)	great aunt
une **héritière**	heiress
la **nourrice**	nanny
la **pension alimentaire**	maintenance allowance, alimony
la **personne à charge**	dependent

USEFUL WORDS (f) (cont)

les quadruplées	quadruplets, quads
les quintuplées	quintuplets, quins
la vieille fille	spinster

ma mère travaille au dehors my mother goes out to work
la nurse s'occupe des enfants the nanny looks after the children
avoir la garde des enfants to have custody of the children
l'acte de mariage/naissance/baptême/décès marriage/birth/baptismal/death certificate
le milieu familial the family circle
un enfant illégitime an illegitimate child
un enfant adoptif/naturel adopted/natural child
neveu/tante par alliance nephew/aunt by marriage
le frère/la sœur de lait foster brother/sister
les parents éloignés distant relatives
feu son père *inv* his/her late father
maternel(le) motherly; maternal
paternel(le) fatherly; paternal

ESSENTIAL WORDS (m)

un **agneau** (*pl* **-x**)	lamb
un **animal** (*pl* **animaux**)	animal
le **bœuf** ◇ [bœf] (*pl* **-s** [bø])	ox
le **canard**	duck
le **champ**	field
le **chat**	cat
le **cheval** (*pl* **chevaux**)	horse
le **chien**	dog
le **cochon**	pig
le **coq**	cock
le **dindon** ◇	turkey
le **fermier**	farmer
le **mouton** ◇	sheep
le **pays** ◇	country; district
le **paysan** ◇	country person, peasant
le **poulet**	chicken
le **tas**	heap, pile
le **tracteur**	tractor
le **veau** ◇ (*pl* **-x**)	calf
le **village**	village

IMPORTANT WORDS (m)

un **âne**	donkey
le **bélier**	ram
le **berger**	shepherd
le **bétail**	cattle
le **blé**	corn; wheat
le **chevreau** ▭ (*pl* **-x**)	kid
un **épouvantail**	scarecrow
un **étang**	pond
le **foin**	hay
le **fossé**	ditch
le **fumier**	manure
le **grain**	grain, seed

un champ de blé a field of corn
cultiver les champs to plough the fields
le chien de berger the sheepdog

FARMING AND AGRICULTURE

IMPORTANT WORDS (m) (cont)

le grenier ◇	loft
le :hangar 📖	shed, barn
le laboureur	ploughman
le maïs ◇ [ma-is]	maize
le moulin (à vent)	(wind)mill
le porc ◇ [pɔR]	pig
le poulailler ◇	henhouse, hen coop
le poulain	foal
le poussin	chick, chicken
le pré	meadow
le puits	well
le ruisseau ◇ (pl -x)	stream
le seau ◇ (pl -x)	bucket, pail
le seigle	rye
le sillon	furrow
le sol	ground, earth, land
le taureau (pl -x)	bull
le troupeau (pl -x)	flock (of sheep); herd (of cattle)

USEFUL WORDS (m)

un abattoir	slaughterhouse
l'accouplement	mating
le bétail	cattle
le cheptel	livestock
le colza	rape(seed)
le cultivateur	farmer
l'élevage	cattle breeding
un éleveur	stockbreeder
un exploitant	farmer
le fourrage	fodder
le froment	wheat
le gardeur de chèvres	goatherd
le gardeur de vaches	cowherd
le gardian	cowboy (in the Camargue)
le grainetier	seed merchant

s'occuper des animaux to look after the animals
ils mangent du foin et boivent de l'eau they eat hay and drink water

ESSENTIAL WORDS (f)

la **barrière** ◇	gate; fence
la **camionnette** ◇	(small) van
la **campagne**	country
la **colline**	hill
la **ferme**	farm, farmhouse
la **fermière**	farmer's wife
la **forêt** ◇	forest
la **paysanne**	country woman, peasant
la **poule** ◇ ▭	hen
la **poussière** ◇	dust
la **terre** ◇	earth, ground
la **vache**	cow

IMPORTANT WORDS (f)

l' **avoine**	oats
la **baratte** ▭	churn
la **basse-cour** (pl ~s~s)	farmyard
la **boue** ◇	mud
la **céréale**	cereal crop
la **charrette**	cart
la **charrue**	plough
la **chaumière** ◇	(thatched) cottage
la **chèvre**	goat
une **échelle** ◇	ladder
une **écurie**	stable
une **étable**	cow-shed, byre
la **fièvre aphteuse** ▭	foot and mouth disease
la **gerbe** ▭	sheaf
la **grange**	barn
la **lande** ◇ ▭	moor, heath
la **meule de foin**	haystack
la **moisson** ◇	harvest
la **moissonneuse-batteuse** (pl ~s~s)	combine harvester

vivre à la campagne to live in the country
travailler dans une ferme to work on a farm
la ferme est située au milieu d'un champ the farm is in the middle of a field

FARMING AND AGRICULTURE

le :haras	stud farm
l'herbage	pasture
le :houblon	hops
le labour/labourage	ploughing
le maraîcher	market gardener
le maréchal-ferrant	
(pl maréchaux-ferrants)	blacksmith
le métayer	tenant farmer
le meunier	miller
le palefrenier	groom
le pâturage	pasture
la porcelet	piglet
le vendangeur	grape-picker

au chant du coq at cockcrow
faucher to reap
traire to milk
la plantation de café, de coton *etc* coffee, cotton *etc* plantation

IMPORTANT WORDS (f) (cont)

une oie	goose
l'orge	barley
la paille ◇	straw
la palissade	fence
la porcherie	pigsty
la récolte ◇	crop
la vigne	vine

USEFUL WORDS (f)

une auge	trough
la bananeraie	banana plantation
la bergère	shepherdess
la bergerie	sheep fold
la cultivatrice	farmer
une éleveuse	stockbreeder
la faucille	sickle
la fromagerie	cheese dairy
la gardeuse de chèvres	goatherd
la gardeuse de vaches	cowherd
la mangeoire	trough, manger
la maraîchère	market gardener
la métayère	tenant farmer
la pintade	guinea-fowl
la pisciculture	fish farming
la polyculture	mixed farming
la (poule) pondeuse	laying hen
la tonte	shearing
la tourbe	peat
la trayeuse	milking machine
la vendange	grape harvest
la vendangeuse	grape-picker

rentrer la moisson to bring in the harvest
faire la récolte to bring in the crops

FASHION AND CLOTHES

un anorak	anorak
le blouson	bomber jacket
le bouton ◇	button
le chapeau (pl -x)	hat
le chemisier	blouse
le col	collar
le collant	(pair of) tights
le complet	suit
le costume ◇	suit (for man); costume
le gant	glove
un imper(méable)	raincoat
le jean ◇ [dʒin], jeans	(pair of) jeans
le maillot ◇ (de bain)	swimming costume or trunks
le manteau (pl -x)	coat
le mouchoir	hankie, handkerchief
le pantalon	(pair of) trousers
le parapluie ▭	umbrella
le pardessus	overcoat
le pull-over, pull	sweater, jumper, pullover
le pyjama ▭	(pair of) pyjamas
le sac à main	handbag
le sac ◇	bag
le short	(pair of) shorts
le slip ▭	(under)pants
le slip de bain	swimming or bathing trunks
le soulier	shoe
le tricot ◇ ▭	jumper, jersey
le T-shirt, tee-shirt	T-shirt, tee-shirt
un uniforme	uniform
le veston	jacket (for man)
les vêtements	clothes, clothing

les accessoires	accessories
les bas	stockings
le béret	beret
le bermuda	Bermuda shorts
le(s) bleu(s) de travail	overalls, dungarees

ESSENTIAL WORDS (f)

la botte	boot
la ceinture	belt
la chaussette	sock
la chaussure	shoe
la chemise	shirt
la chemise de nuit	nightie, nightdress
la cravate	tie
la jupe	skirt
la mode 🕮	fashion
la pantoufle	slipper
la poche ◇	pocket
la pointure 🕮	(shoe) size
la robe	dress
la sandale	sandal
la taille ◇	size; waist
la veste	jacket (*for man or woman*)

IMPORTANT WORDS (f)

la blouse	smock, overall
la boutonnière	buttonhole
les bretelles	braces
la cabine d'essayage 🕮	changing cubicle
la canne ◇	cane, (walking) stick
la casquette	cap
la création	model (*garment*)

à la mode in fashion
démodé(e) old-fashioned
cela fait très chic that's very smart
cela vous va bien/mal that suits/doesn't suit you
quelle est votre pointure? what (shoe) size do you take?
quelle est votre taille? what size do you take?
le matin je m'habille in the morning I get dressed
le soir je me déshabille in the evening I get undressed
puis je me rhabille then I get dressed again
porter to wear; **mettre** to put on
j'essaie un béret I try on a beret
puis je l'enlève then I take it off
quand je rentre du lycée je me change when I get home from school I get changed
des soldats en uniforme soldiers in uniform

IMPORTANT WORDS (m) (cont)

le caleçon	(under)pants
le chandail	(thick) jumper
le chapeau (pl **-x**) **melon** 📖	bowler hat
le cuissard	cycle pants or shorts
un ensemble pantalon	trouser suit
le foulard	scarf, headsquare
le gilet	waistcoat; cardigan
le gilet de corps or de peau	vest
l'habit	evening dress, tails
les haillons: en haillons	in rags
les hauts talons	high heels
le jupon	underskirt, petticoat
le képi	(military) cap
le lacet	(shoe)lace
le linge ◇	washing (*items to be washed*)
le nœud papillon	bow tie
le ruban	ribbon
le sac à bandoulière 📖	shoulder bag
le salon d'essayage	changing room
le soutien-gorge (pl ~**s**~)	bra, brassiere
le survêtement	track suit
le sweat [swit]	sweatshirt
le tablier	apron
le tailleur ◇	woman's suit
les talons aiguilles	stiletto heels
les trainings	trainers, training shoes
le tricot de corps	vest

USEFUL WORDS (m)

l'accoutrement	get-up, rig-out
un accroc [akʀo]	tear
un après-ski (pl inv)	snow boot
le bandeau (pl **-x**)	headband
les baskets	trainers
les bas résille	fishnet stockings
le bavoir	bib (*of baby*)
le bonnet	hat
le bonnet de bain	swimming cap
le bouton-pression (pl ~**s**~)	press stud

la culotte	pants (*for child*)
une écharpe ◇	scarf
une espadrille	rope-soled sandal, espadrille
la fermeture éclair	zip
la :haute couture	haute couture
la jaquette	woman's jacket
la jupe-culotte (*pl* ~**s**~**s**)	culottes
la manche	sleeve
la présentation de mode 📖	fashion show
la robe de chambre	dressing gown
la robe de mariée	wedding dress
la robe du soir	evening dress (*for woman*)
la salopette	dungarees, overalls; (ski) salopettes

la barrette	(hair) slide
la bottine	(ankle) boot
la braguette	fly, flies (*of trousers*)
la cagoule	hood, cowl
la canadienne	fur-lined jacket
la cape	cape; cloak
la capuche	hood (*of a coat*)
la chemisette	short-sleeved shirt
la coiffe	headdress
la combinaison	slip
les cuissardes	thigh boots
la doublure ◇	lining
une échancrure	plunging neckline
une emmanchure	armhole
une encolure en V	V-neck
une épaulette	shoulder strap; shoulder pad
les fringues	clothes
les fripes	second-hand clothes
la gaine	girdle
la godasse	"shoe"
les guenilles	rags
la guêtre	gaiter
la jarretelle	suspender

le cache-nez (*pl inv*)	scarf
le caleçon de bain	(swimming) trunks
le châle	shawl
le chausson	slipper
le ciré	oilskin
le corsage	blouse
le décolleté	low neck(line)
le décolleté plongeant	plunging neckline
le déguisement	fancy dress
le demi-bas (*pl inv*)	kneesock
le déshabillé	négligée
un écusson	badge
un escarpin	court shoe
un éventail	fan
le fichu	(head)scarf
le foulard	scarf
le fuseau (*pl* -**x**)	(ski)pants
l'habillement	clothes
les habits	clothes
le :haut-de-forme (*pl* ~**s**~~)	top hat
l'henné	henna
le lainage	woollen garment
le maillot une pièce	one-piece swimsuit
le maillot deux pièces	two-piece swimsuit, bikini
le modéliste	(dress) designer
le monokini	topless swimsuit
le nettoyage à sec	dry cleaning
l'ourlet	hem
le pan de chemise	shirt tail
le peignoir de bain	bathrobe
le pli	pleat; crease
le prêt-à-porter	ready-to-wear *or* off-the-peg clothes
le revers	lapel
le sabot ◇	clog
le smoking	dinner *or* evening suit
le sous-pull (*pl* -**s**)	thin poloneck sweater
les sous-vêtements	underwear
le tailleur-pantalon (*pl* ~**s**~**s**)	trouser suit
le voile	veil

USEFUL WORDS (f) (cont)

la jarretière	garter
la jupe à fronces	gathered skirt
la lingerie	lingerie, underwear
la liseuse	bedjacket
la manchette	cuff
la minijupe	miniskirt
la modéliste	(dress) designer
la modiste	milliner
la moufle	mitt(en)
la paillette	sequin, spangle
la panoplie (d'Indien)	(Red Indian) outfit
la pochette	breast pocket; breast pocket handkerchief
la queue-de-pie (pl ~s~~)	tails, tailcoat
la retouche	alteration
la robe chasuble	pinafore dress
la robe de grossesse	maternity dress
la saharienne	safari jacket
la semelle	sole
la socquette	ankle sock
la tache	stain, mark
la talonnette	heelpiece; stirrup
les tennis	tennis shoes; trainers
la tenue de soirée	evening dress
la voilette	(hat) veil

être/se mettre sur son trente et un to be/get dressed to kill
branché(e) trendy; **étanche** waterproof
rapiécer to patch; **recoudre** to sew back on; **repriser** to darn
retrousser to roll up (*sleeves, trousers*)
long(ue) long; **court(e)** short
une robe à manches courtes/longues a short-sleeved/long-sleeved dress
serré(e) tight; **vague** loose; **ras du cou** crew-neck
une jupe serrée/large a tight/full skirt
rayé striped; **à carreaux** checked; **à pois** spotted
une jupe à plis a pleated skirt; **en tenue de soirée** in evening dress
les vêtements de détente *or* **de loisir** casual clothes
des vêtements de rechange a change of clothes
à l'envers inside out; **des souliers vernis** patent leather shoes
chaussures à semelles compensées platform shoes

FEELINGS AND RELATIONSHIPS

un amant	lover
l'amour	love
le bonheur	happiness
le divorce	divorce
le sentiment	feeling

l'agacement 📖	irritation, annoyance
le dégoût	disgust
le désaccord	disagreement; conflict, clash
le préjugé	prejudice
le ressentiment	resentment
le soulagement	relief

l'adultère	adultery
l'affolement	panic
l'amour-propre	self-esteem, pride
le compagnon	companion
le dépaysement	disorientation, feeling of strangeness
le diminutif	pet name
le divorcé	divorcee
l'effarement	alarm, trepidation
l'effarouchement	alarm
l'effroi	terror, dread
l'émerveillement	wonder
le flirt	flirting; (*person*) boyfriend, girlfriend
les inséparables	lovebirds
un intime	close friend
le malentendu	misunderstanding
le ménage à trois	love triangle
le réconfort	comfort

avoir de l'estime pour qn to think highly of sb
avoir la frousse to be scared stiff

l'amitié	friendship
la déception	disappointment
l'émotion	emotion
la :haine	hatred
la :honte ◇	shame
la pitié	pity
la tristesse	sadness

l'anxiété	anxiety
la fidélité	faithfulness
l'horreur	horror
l'impatience	impatience
l'infidélité	unfaithfulness
la patience	patience
la querelle	quarrel
la rancune 📖	grudge, rancour
la revanche	revenge

l'agressivité	aggressiveness
l'allégresse	elation, exhilaration
une amourette	passing fancy
une arrière-pensée (pl ~**s**)	ulterior motive
l'attirance	attraction
l'attraction	attraction
l'audace	daring, audacity
la compagne	companion
la divorcée	divorcee
l'extase	ecstasy
la gaffe	blunder
la :hantise	obsessive fear
une injure	insult, abuse
une insulte	insult
une intime	close friend

USEFUL WORDS (m) (cont)

le **rival**	rival
le **tutoiement**	use of familiar "tu" form
le **vouvoiement**	use of formal "vous" form

fidèle faithful
gêné(e) embarrassed
grisant(e) intoxicating, exhilarating
inquiet(inquiète) worried
réagir to react
avoir des remords to feel remorse
avoir de la sympathie pour qn to like sb
avoir la conscience tranquille to have a clear conscience
donner l'accolade à qn to embrace sb
donner/faire un câlin à qn to give sb a cuddle
donner des émotions à qn to give sb a (nasty) fright
en émoi agitated, excited
être aux anges to be in seventh heaven
être fleur bleue to be soppy *or* sentimental

USEFUL WORDS (f) (cont)

la liaison	affair
la maîtresse	mistress
la rivale	rival
la rivalité	rivalry
la rupture	break-up, split
la stupeur	astonishment, amazement
la tendresse	tenderness
la vengeance	vengeance, revenge

garder/perdre son sang-froid to keep/lose one's cool
se réjouir de qch/de faire qch to be delighted about sth/to do sth
semer la zizanie to stir up ill-feeling
vivre séparé to be separated, live apart
un sujet de dispute cause for dispute
une scène de ménage domestic fight
amoureux(euse) in love
contrarier to annoy; bother
convoiter to covet, lust after
énerver to irritate, annoy
envieux(euse) envious
réprimer to suppress
s'énerver to get excited, get worked up
s'entendre (bien/mal) to get on (well/badly)
trahir to betray

FISH AND SHELLFISH

le crabe	crab
les fruits de mer 📖	shellfish, seafood
le poisson ◇	fish
le poisson rouge	goldfish

le brochet 📖	pike
le calmar	squid
le :haddock	haddock
le :hareng	herring
le :homard	lobster
le merlan 📖	whiting
le poulpe	octopus
le requin	shark
le saumon	salmon
le têtard	tadpole
le thon	tuna

l'appât	bait
un asticot	maggot
le carrelet	plaice
le colin	hake
les crustacés	shellfish
l'églefin	haddock
un espadon	swordfish
le goujon	gudgeon
le :hameçon	(fish)hook
l'hippocampe	sea horse
le maquereau (pl -**x**)	mackerel
le pêcheur ◇	fisherman; angler
le poisson-chat (pl ~**s**~**s**)	catfish
le poisson-scie (pl ~**s**~**s**)	sawfish
le rouget	mullet
le ver ◇	maggot
le vivier	fish tank; fishpond

ESSENTIAL WORDS (f)

l'eau ◊	water
la queue ◊	tail
la sardine	sardine
la truite	trout

IMPORTANT WORDS (f)

une anguille	eel
la crevette	shrimp
l'huître	oyster
la langouste	crawfish, crayfish
les langoustines	scampi
la méduse	jellyfish
la morue	cod
la moule	mussel
la pieuvre 📖	octopus
la sole	sole

USEFUL WORDS (f)

la coquille St-Jacques	scallop
la daurade	sea bream
une écaille	scale
une écrevisse	crayfish
une épuisette	shrimping net
la limande	dab
la limande-sole (*pl* ~**s**~**s**)	lemon sole
la lotte	burbot; monkfish
la méduse	jellyfish
la nageoire	fin
la palourde	clam
la raie	skate, ray
la rascasse	scorpion fish

nager dans l'eau to swim in the water
nous allons à la pêche we're going fishing

FOOD AND DRINK

l'agneau	lamb (*meat*)
un apéritif ⌑	aperitif
le bar ⌑	bar
le beurre	butter
le bifteck ⌑	steak
le biscuit	biscuit
le bœuf ◇	beef
le bol ◇	bowl
les bonbons	sweets
le briquet	lighter
le café ◇	coffee; café
le cendrier	ashtray
le chariot ◇	(supermarket) trolley
le chef ◇ (de cuisine) (*m+f*)	chef, head cook
les chips	crisps
le chocolat (chaud)	(hot) chocolate
le choix ⌑	choice
le cidre ⌑	cider
le cigare	cigar
le coca	Coke ®, Coca Cola ®
le couteau ◇ (*pl* -x)	knife
le couvert ⌑	cover charge; place setting
le croissant	croissant
le croque-monsieur (*pl inv*)	toasted sandwich (*ham/cheese*)
le déjeuner	lunch
le demi	a half (*bottle/litre etc*)
le dessert	dessert
le dîner	dinner
les escargots	snails
le fromage	cheese
un fruit	a piece of fruit, some fruit
les fruits ◇	fruit
les fruits de mer ⌑	seafood, shellfish
le garçon ◇	waiter
le gâteau (*pl* -x)	cake

manger to eat; **boire** to drink; **avaler** to swallow
j'aime beaucoup I like; **je déteste** I hate; **je préfère** I prefer
mon repas préféré my favourite meal
qu'est-ce que tu prends à boire? what are you having to drink?

114

ESSENTIAL WORDS (f)

l'addition ◊	bill
une allumette	match
une assiette ◊	plate
la baguette	French loaf
la bière	beer
la boisson	drink
la boîte	tin, can; box
la bouteille	bottle
la carafe	carafe, jug
la carte ◊	menu
la cigarette	cigarette
la confiture	jam
la confiture d'oranges	marmalade
la côte ◊	chop
la crème ◊	cream
la crêpe ▭	pancake
les crudités ▭	selection of salads
la cuiller, cuillère ◊	spoon
l'eau ◊ (minérale)	(mineral) water
une entrée ◊ ▭	first course
la faim	hunger
la farine	flour
la fourchette ◊	fork
les frites	chips, French fries
la glace ◊	ice cream
l'huile ◊	oil
la limonade	lemonade
la mayonnaise ▭	mayonnaise
la moutarde	mustard
l'odeur	smell

avez-vous du feu? do you have a light?; **une boîte d'allumettes** a box of matches
allumer une cigarette to light (up) a cigarette
"défense de fumer" "no smoking"; **je ne fume pas** I don't smoke
j'ai arrêté de fumer I've stopped smoking
c'est bon/pas bon it's nice/not nice
déjeuner to have lunch; **dîner** to have dinner; **goûter** to taste
ça sent bon! that smells good!
le vin blanc/rosé/rouge white/rosé/red wine
avoir faim to be hungry; **avoir soif** to be thirsty

le goût ⊞	taste
le goûter	tea (*meal*)
le :hamburger	beefburger
les :hors-d'œuvre ⊞	hors d'œuvres, starters
le jambon	ham
le jus de fruit	fruit juice
le lait	milk
le lapin ⊞	rabbit
les légumes ◇	vegetables
le menu	(fixed-price) menu
le mouton ◇	mutton
un œuf [œf] (*pl* -s [ø])	egg
un Orangina	fizzy drink with orange pulp
le pain	bread; loaf
le pain au chocolat	puff pastry bun filled with chocolate
le pain grillé	toast
le parfum ◇ ⊞	flavour
le pâté	pâté
le patron ◇	owner (*of restaurant etc*)
le petit déjeuner ◇	breakfast
le pichet ⊞	jug
le pique-nique (*pl* ~s) ⊞	picnic
le plat	dish; course
le plateau ◇ (*pl* -x)	tray
les plats cuisinés ⊞	cooked dishes
le poisson ◇	fish
le poivre	pepper
le porc ◇	pork
le potage	soup
le poulet (rôti)	(roast) chicken
le pourboire ◇ ⊞	tip
le prix net ⊞	inclusive price
le quart	a quarter (*bottle/litre etc*)
le repas ◇	meal
le restaurant ◇	restaurant
le riz	rice
le rôti ⊞	roast
les salés ⊞	savouries
le sandwich	sandwich

ESSENTIAL WORDS (f) (cont)

une olive	olive
une omelette	omelette
la pâtisserie ◊ ▭	pastry; pastries
la pipe	pipe
la pizza	pizza
les pommes frites	chips
la pression ◊ ▭	draught beer
la quiche	quiche
la recette	recipe
la salade	salad
la saucisse	sausage
la serveuse	waitress
la soif	thirst
la soucoupe	saucer
la soupe	soup
la table ◊	table
la tarte	tart
la tasse ◊	cup
la terrine ▭	terrine, pâté
la théière	teapot
la tranche (de) ▭	slice (*of*)
la vaisselle ◊	dishes
la viande	meat

IMPORTANT WORDS (f)

une assiette anglaise	selection of cold meats
la biscotte	toast (*in packets*)
la brioche	bun
la carte des vins	wine-list
la côtelette	chop
la crème anglaise	custard
la crème Chantilly	whipped cream
la cruche	(milk) jug

FOOD AND DRINK

le saucisson	(*large*) slicing sausage
le sel	salt
le serveur	waiter
le service	service
le sirop	syrup; concentrate
le souper	supper
le steak	steak
le sucre	sugar
les sucrés ▢	sweet things
le supplément ◇ ▢	extra charge
le tabac ◇	tobacco; tobacconist's
le thé	tea
le veau ◇ ▢	veal
le verre ◇	glass
le vin	wine
le vinaigre	vinegar
le yaourt	yoghurt

IMPORTANT WORDS (m)

le bouchon	cork
le cacao	cocoa
le casse-croûte (*pl inv*)	snack
le champagne	champagne
le citron pressé	fresh lemon drink
le cognac	brandy

j'ai faim et j'ai soif I'm hungry and thirsty
mettre le couvert, mettre la table to set *or* lay the table
débarrasser to clear the table
faire la vaisselle to do the dishes *or* the washing-up
délicieux(ieuse) delicious; **appétissant(e)** appetizing; **dégoûtant(e)** disgusting
"plat du jour" ''dish of the day''
"spécialité de la maison" ''speciality of the house''
bon appétit! enjoy your meal!
à votre santé! good health!, cheers!
l'addition s'il vous plaît! the bill please!
est-ce que le service est compris? is service included?
"service (non) compris" ''service (not) included''

les cuisses de grenouille	frogs' legs
la gelée ◇	jelly
une infusion ▭	herb(al) tea
la margarine	margarine
la miette	crumb
les moules	mussels
la nappe	tablecloth
la nourriture	food
la paille ◇	(drinking) straw
les pâtes	pasta
la purée	mashed potatoes
les rillettes ▭	potted meat (*made of pork or goose*)
la sauce	sauce; gravy
la sauce vinaigrette	vinaigrette *or* French dressing
la serviette ◇	napkin, serviette
la tartine (de beurre)	piece of bread and butter
la tisane	herb(al) tea
les tripes	tripe
la volaille	poultry

USEFUL WORDS (f)

une andouille ◇	sausage made of chitterlings
une arête	(fish)bone
la bouffe	grub
la bouillabaisse	fish soup
la brasserie	pub, brasserie
la brochette	kebab
la canette	bottle (*of beer*)
la cannelle	cinnamon
la capsule	(bottle) cap
les carottes vichy	boiled carrots
la cendre	ash (*of cigarette*)
la cervelle	brain(s)
la chapelure	(dried) breadcrumbs
la chope	tankard
la choucroute	sauerkraut
la ciboulette	chives
la citronnade	lemonade
la collation	light meal

FOOD AND DRINK

le diplomate (à l'anglaise) 💭	trifle
le foie ⬦	liver
le gibier	game
le glaçon ⬦	ice cube
le :haggis	haggis
le ketchup	tomato ketchup
le lard	bacon
les lardons	(chopped) bacon
le miel	honey
le panaché	shandy
le petit pain	roll
le pot à lait	milk jug
le ragoût	stew
les rognons	kidneys
le rosbif	roast beef
le thermos	flask
un toast	slice *or* piece of toast
le whisky	whisky

USEFUL WORDS (m)

les (aliments) surgelés	(deep-)frozen food
les abats	offal; giblets
l'ailloli	garlic mayonnaise
un aloyau (*pl* -**x**)	sirloin
l'amidon	starch
un amuse-gueule (*pl inv*)	appetizer, snack
un anchois (*pl inv*)	anchovy
un arôme	aroma
un arrière-goût (*pl* ~**s**)	aftertaste
l'assaisonnement	seasoning
le basilic	basil
le beignet	fritter; doughnut
le biberon	(feeding) bottle
le Bordeaux	Bordeaux (wine)
le boudin blanc	white pudding
le boudin noir	black pudding
le boudoir ⬦	sponge finger (*biscuit*)
le bouillon	broth, stock
le bourgogne	burgundy (wine)

la compote de pommes	stewed apples
les conserves	canned *or* tinned foods
la consommation	drink (*in a bar*)
la consommatrice	customer (*in a bar*)
la convive	guest (*at a meal*)
la crêperie	pancake shop
la cuvée	vintage
une dégustation de vin(s)	wine-tasting session
la demi-bouteille (*pl* ~**s**)	half-bottle
l'eau plate	still water
l'eau gazeuse	fizzy water
l'eau-de-vie (*pl* -**x**~~)	brandy
une entrecôte	entrecôte, rib steak
la farce	stuffing
la fine	liqueur brandy
la frangipane	almond paste
la friandise	sweet
la friterie	chip shop
la friture (de poissons)	fried fish
la galette	flat pastry cake; savoury pancake
la gargote	cheap restaurant
la garniture	vegetables
la gastronome	gourmet
la gâterie	little treat
la gaufre	waffle
la gaufrette	wafer
la gorgée	mouthful; sip; gulp
la gourmandise	greed
une gousse d'ail	clove of garlic
la gratinée	onion soup au gratin
la grillade	grill
la guimauve	marshmallow
une habituée	regular customer
la bûche de Noël	Yule log
la liqueur	liqueur
la madeleine	sponge finger cake
la maîtresse de maison	hostess
les matières grasses	fat (content)
la miche	round *or* cob loaf
la mie	inside (*of a loaf*)

FOOD AND DRINK

le cabillaud	cod
le café instantané	instant coffee
le cake [kɛk]	fruit cake
le cassoulet	sausage and bean hotpot, cassoulet
le cerfeuil	chervil
le chausson aux pommes	apple turnover
le chevreuil	venison
un civet de lièvre	jugged hare
le concentré de tomates	tomato purée
le consommateur	customer (*in a bar*)
le contre-filet (*pl* ~**s**)	sirloin
le convive	guest (*at a meal*)
le cornichon	gherkin
le croque-madame (*pl inv*)	toasted cheese sandwich with a fried egg on top
le croûton	crust (*of bread*)
le cumin	caraway, cumin
le cure-dent (*pl* ~**s**)	toothpick
un diabolo menthe	mint (cordial) and lemonade
le digestif	(after-dinner) liqueur
un en-cas (*pl inv*)	snack
un entremets	(cream) dessert
un Esquimau (*pl* -**x**)	ice lolly
le faux-filet (*pl* ~**s**)	sirloin
le féculent	starchy food
le festin	feast
le flan	custard tart *or* pie
les flocons d'avoine	oatflakes, porridge oats
le friand	(minced) meat pie; small almond cake
le fromage râpé	grated cheese
le fume-cigarette (*pl inv*)	cigarette holder
le fût	barrel, cask

être à la diète to be on a (starvation) diet
faire chauffer au bain-marie (*boîte*) to immerse in boiling water
manger salement to eat dirtily *or* messily
porter à (l')ébullition to bring to the boil

la mouillette	finger of bread, soldier
les nouilles	noodles, pasta
une orangeade	orangeade
l'oseille	sorrel
la panure	breadcrumb dressing
la patate	spud
la patate douce	sweet potato
la pâte	pastry
la pâte à choux	choux pastry
la pâte à frire	batter
la pâte à pain	dough
la pâte brisée	shortcrust pastry
la pâte d'amandes	almond paste
la pâte feuilletée	puff *or* flaky pastry
les pommes vapeur	boiled potatoes
la réglisse	liquorice
la restauratrice	restaurant owner
la saumure	brine
la semoule de riz	ground rice
la sucette	lollipop

se gaver de to stuff o.s. with
faire une cure de fruits to go on a fruit diet
servir frais chill before serving
menu à prix fixe set menu
vin d'appellation contrôlée wine guaranteed to be of a certain quality
un steak saignant/à point/bien cuit a rare/medium/well-cooked steak
une rondelle de saucisson a slice of sausage
âcre acrid, pungent
aigre sour
âpre acrid, pungent
comestible edible
croquant(e) crisp, crunchy

le gastronome	gourmet
les germes de soja	beansprouts
le gigot	leg (of mutton or lamb)
le gingembre	ginger
le glaçage	icing
le goudron	tar (of cigarette)
le gourmet	epicure
le gras-double	tripe
le gratin	cheese-(or crumb-)topped dish
les grumeaux	lumps
un habitué	regular customer
le :hareng saur	smoked herring, kipper
le laitage	milk product
le laurier	bay leaves
les macaronis au fromage or au gratin	macaroni cheese
le maître de maison	host
le méchoui	whole sheep barbecue
le mégot	cigarette end or butt
le menu gastronomique	gourmet menu
le mille-feuille (pl ~s)	cream or vanilla slice
le millésime	year; vintage
le moka	mocha coffee; mocha cake
le morceau (pl -x)	piece
le noix de muscade	nutmeg
l' origan	oregano
le pain bis	brown bread
le pain complet	wholemeal bread
le pain de campagne	farmhouse bread
le pain de mie	sandwich loaf
le pain d'épice(s)	gingerbread
le pain de seigle	rye bread
le parmesan	Parmesan (cheese)
le pastis	aniseed-flavoured alcoholic drink
le pâté en croûte	meat pie
le petit pain	roll
le plat à fromages	cheeseboard
le plat cuisiné	pre-cooked meal
le plat de résistance	main course
les plats préparés	convenience food(s)

la **tablette de chocolat**	bar of chocolate
la **tournée**	round (*of drinks*)
la **tourte**	pie
la **truffe**	truffle
la **vanille**	vanilla
la **végétalienne**	vegan
la **végétarienne**	vegetarian
la **verveine**	verbena tea
la **viande hachée**	mince
la **vinaigrette**	vinaigrette, French dressing

un œuf au plat/poché fried/poached egg
un œuf à la coque/dur/mollet boiled/hard-boiled/soft-boiled egg
des œufs brouillés scrambled eggs
au naturel in water; in its own juices
boire au goulot to drink from the bottle
cuit à la vapeur steamed
dîner aux chandelles candlelight dinner
eau (non) potable (non-)drinking water
emballé sous vide vacuum-packed
cru(e) raw
desservir (la table) to clear the table
digérer to digest
filandreux(euse) stringy
garni(e) served with vegetables
glouton(ne) gluttonous, greedy
juteux(euse) juicy
rance rancid
rassis(e) stale
se régaler to have a delicious meal
trinquer to clink glasses
vénéneux(euse) poisonous

USEFUL WORDS (m) (cont)

le porto	port (wine)
le pot-au-feu (*pl inv*)	(beef) stew
le poulet au curry	curried chicken
le pousse-café (*pl inv*)	(after-dinner) liqueur
les rafraîchissements	refreshments
le restaurateur ◊	restaurant owner
le rhum [Rɔm]	rum
le rince-doigts (*pl inv*)	finger bowl
le sablé	shortbread biscuit
le sachet de thé	tea bag
le saindoux	lard
le salon de thé	tearoom
le saumon fumé	smoked salmon
le snack	snack bar
le soja	soya beans
le sucre cristallisé	granulated sugar
le sucre en poudre	caster sugar
le sucre en morceaux	lump sugar
le traiteur	caterer
le végétalien	vegan
le végétarien	vegetarian
le vin de pays	local wine
un zeste de citron	a piece of lemon peel

ESSENTIAL WORDS (m)

un **appareil**(-photo) (pl ~**s**~**s**)	camera
l' **argent de poche**	pocket money
le **baby-sitting**	baby-sitting
le **babyfoot**	table football
le **bal**	dance
le **billet** ◇	ticket
le **chanteur** (pop)	(pop) singer
le **cinéma** ◇	cinema
le **club** (des jeunes)	(youth) club
le **concert** ◇	concert
le **concours** ◇	competition
le **correspondant**	pen friend
le **dessin animé**	cartoon
le **disque**	record
le **disque compact** ▭	compact disc, CD
les **échecs**	chess
un **électrophone** ◇	record player
le **feuilleton**	serial; series; ''soap''
le **film**	film
le **:hobby** ▭	hobby
un **intérêt**	interest
le **jeu** ◇ (pl **-x**)	game; acting; gambling
le **jouet** ▭	toy
le **journal** ◇ (pl **journaux**)	newspaper
les **loisirs**	leisure (activities)
le **magazine**	magazine
le **magnétophone** ◇ (à cassettes)	(cassette) recorder
le **magnétoscope**	video (recorder)
le **membre**	member
le **micro-ordinateur** (pl ~**s**)	PC, personal computer
le **musée** ◇	museum; art gallery
le **passe-temps** (pl inv)	hobby
le **petit ami**	boyfriend
le **programme** ◇	(TV) programme

comment passez-vous le temps? what do you do to pass the time?
je m'intéresse à la musique/aux sports I am interested in music/sport
je sors avec mes amis I go out with my friends
je lis les journaux, je regarde la télévision I read the newspapers, I watch television

ESSENTIAL WORDS (m) (cont)

le roman	novel
le son et lumière 📖	sound and light show
le spectacle	show
le télé-journal	TV news
le temps libre	free time, spare time
le théâtre ◇	theatre
le transistor ◇	transistor
le tricot ◇	knitting
le week-end (pl ~**s**)	weekend; at the weekend

IMPORTANT WORDS (m)

le 33 tours	LP
le 45 tours	single (*record*)
un appareil à sous	one-armed bandit, slot machine
un éclaireur	scout
le fan [fan]	fan
le :hit-parade	charts, hit parade
les mots croisés	crossword puzzle(s)
le palmarès	hit parade
le scout	scout
le vidéoclub	video shop
le Walkman ®	personal stereo

USEFUL WORDS (m)

un adhérent	(club) member
un aoûtien	August holiday-maker
un as (pl inv)	ace
un atout	trump
le baby-sitter (pl ~**s**)	baby-sitter
le baladeur	personal stereo
le bouquin	book

"avec ou sans filtre?" ''tipped or plain?'' (*of cigarette*)
faire une demande d'admission à un club to apply for membership of a club
faire une balade to go for a walk
faire la grasse matinée to have a lie-in
à court d'argent short of money

les **actualités**	news
une **affiche** ◇	notice; poster
la **bande** ◇	(recording) tape
la **boum**	party
la **brochure**	leaflet
les **cartes** ◇	cards
la **cassette**	cassette
la **chanson**	singing; song
la **chanteuse (pop)**	(pop) singer
la **collection**	collection
la **correspondante**	pen friend
la **disco(thèque)** ◇	disco
la **distraction**	hobby, entertainment
une **émission**	(TV) progamme
une **excursion**	trip, outing
une **exposition**	exhibition, show
les **informations** ◇ ▢	news
la **lecture**	reading
la **maison des jeunes**	youth club
la **membre**	member
la **musique (pop/classique)**	(pop/classical) music
la **peinture** ◇	painting (*subject, work*)
la **pellicule**	film (*for camera*)
la **petite amie**	girlfriend
la **(petite) annonce**	advert; small ad
la **photo**	photo
la **promenade** ◇	walk; trip, outing
la **publicité** ◇ ▢	publicity
la **radio** ◇	radio
la **randonnée** ▢	walk; hike; drive
la **réunion**	meeting
la **revue** ▢	magazine
la **soirée**	evening
la **surprise-partie** (*pl* ~**s**~**s**)	party

mon hobby préféré my favourite hobby
je m'amuse à bricoler/à faire du baby-sitting I enjoy doing odd jobs/baby-sitting
je joue au football/au tennis/aux cartes I play football/tennis/cards
je joue du piano/de la guitare *etc* I play the piano/guitar *etc*

le carreau	diamonds (*in cards*)
le cartomancien	fortune-teller (*who uses cards*)
le centre d'animation	community centre
le cerf-volant [sɛʀvɔlɑ̃] (*pl* ~**s**~**s**)	kite
le cibiste	CB enthusiast
le ciné-club (*pl* ~**s**)	film club
le cœur	hearts (*in cards*)
le colin-maillard	blind man's buff
le collectionneur	collector
le coloriage	colouring (*for children*)
le conte	tale, story
le conte de fées	fairy tale
le conteur	storyteller
le damier	draughtboard
le dancing	dance hall
le deltaplane	hang-glider
le divertissement	entertainment
un échiquier	chessboard
le flipper	pinball (machine)
le forfait-vacances	package holiday
le gage	forfeits
le golf miniature	crazy *or* miniature golf
un illustré	illustrated magazine; comic
le jeu de société	parlour game
le manège	roundabout, merry-go-round
le parc d'attractions	amusement park
le pari mutuel urbain (PMU)	system of betting on horses
le parieur	punter
le pique	spades (*in cards*)
le puzzle	jigsaw (puzzle)
le roman d'espionnage	spy novel
le roman noir	thriller
le roman policier	detective novel
le roman-feuilleton (*pl* ~**s**~**s**)	serialized novel
le roman-photo (*pl* ~**s**~**s**)	(romantic) picture story
les sites touristiques	places of interest
le terrain de jeu	playground
le trèfle ◇	clubs (*in cards*)
le trictrac	backgammon
le valet	jack, knave (*in cards*)

ESSENTIAL WORDS (f) (cont)

la **tapisserie** ◇	tapestry
la **télé(vision)** ◇	TV, television
la **vedette** ◇ **(de cinéma)** (*m+f*)	(film) star
la **vidéocassette**	video (cassette)

IMPORTANT WORDS (f)

la **boîte de nuit**	night club
la **chorale**	choir
la **colonie de vacances**	holiday camp
la **couture**	sewing, needlework
les **dames** ◇	draughts
la **diapositive**	slide, transparency
une **éclaireuse**	girl guide
la **grosse radiocassette**	ghetto blaster
la **photographie**	photograph; photography
la **planche à roulettes**	skateboard

où on se rencontre? where shall we meet?
je passerai chez toi I'll call round for you
faire la sieste to have a snooze *or* nap
faire un tour to go for a walk *or* a stroll
jeu en plein air outdoor games
jouer aux billes to play marbles
jouer à cache-cache to play hide-and-seek
jouer au cerf-volant to fly a kite
j'ai vu à la télévision ... I saw on television ...
j'ai entendu à la radio ... I heard on the radio ...

USEFUL WORDS (f)

une adhérente	(club) member
l'adhésion	membership
une amicale	association, club
une aoûtienne	August holiday-maker
une arbalète	crossbow
une association	association
la baby-sitter (pl ~**s**)	baby-sitter
la balançoire	swing
la caméra ✧	cine-camera
la cartomancie	card-reading
la cartomancienne	fortune-teller (*who uses cards*)
la cibiste	CB enthusiast
la collectionneuse	collector
la conteuse	storyteller
la cravache	(riding) crop
la détente	relaxation
les fléchettes	darts
l'histoire	story
la maquette	model; mock-up
la pâte à modeler	Plasticine ®
la pause-café (pl ~**s**~)	coffee break
la réussite	patience (*cards*)
la roulette russe	Russian roulette
la série noire	(crime) thriller
la vannerie	wickerwork, basketwork

si je m'ennuie je . . . if I get bored I . . .
jouer aux osselets to play jacks; **jouer au pendu** to play hangman
"pile ou face?" ''heads or tails?''; **jouer à pile ou face** to toss up (for it)
jouer à la poupée to play with one's doll
jouer à saute-mouton to play leapfrog
passionnant(e) exciting; **ennuyeux(euse)** boring
amusant(e) funny; **pas mal** not bad, quite good
faire des photos to take photos; **sauter à la corde** to skip (with a rope)
jeu de quilles ninepins, skittles; **divertissant(e)** amusing, entertaining
on se réunit le vendredi we meet on Fridays
je fais des économies pour acheter un Walkman ® I'm saving up to buy a
  Walkman ®
gagner to earn; **emprunter** to borrow; **prêter** to lend; **coûter** to cost; **payer** to pay
acheter to buy; **rembourser** to pay back
flâner to stroll; ''**atout pique/trèfle**'' ''spades/clubs are trumps''

ESSENTIAL WORDS (m)

un abricot	apricot
un abricotier	apricot tree
un ananas	pineapple
un arbre fruitier	fruit tree
le bananier	banana tree
le cerisier	cherry tree
le citron	lemon
le citronnier	lemon tree
un fruit	a piece of fruit, some fruit
les fruits ◇	fruit
le marron ◇ (grillé)	(roasted) chestnut
le melon	melon
l'oranger	orange tree
le pamplemousse	grapefruit
le pêcher	peach tree
le poirier	pear tree
le pommier	apple tree
le raisin	grape(s)

IMPORTANT WORDS (m)

un avocat ◇	avocado (pear)
le cassis	blackcurrant (*fruit, bush*)
le dattier	date palm
le figuier	fig tree
le fruit de la passion	passion fruit
le kiwi	kiwi fruit
le noisetier ▢	hazel tree
le noyau (*pl* -x)	stone (*in fruit*)
le noyer ▢	walnut tree
le pépin	pip (*in fruit*)
le pruneau (*pl* -x)	prune
le prunier	plum tree
le verger ◇	orchard
le vignoble	vineyard

un jus d'orange/d'ananas an orange/a pineapple juice
une grappe de raisin a bunch of grapes
les raisins secs raisins
mûr(e) ripe; **pas mûr(e)** unripe

FRUIT

ESSENTIAL WORDS (f)

la banane	banana
la cerise	cherry
la fraise	strawberry
la framboise	raspberry
une orange	orange
la peau 🎴	skin
la pêche ◇	peach
la poire	pear
la pomme	apple
la tomate	tomato; tomato plant

IMPORTANT WORDS (f)

la baie ◇	berry
la datte	date
la figue	fig
la grenade	pomegranate
la groseille	redcurrant
la groseille à maquereau	gooseberry
la mandarine	tangerine
la mûre	blackberry, bramble
la myrtille	bilberry
la noisette	hazelnut
la noix	nut; walnut
la noix de coco	coconut
la prune	plum
la rhubarbe	rhubarb
la vigne	vine

USEFUL WORDS (f)

une amande	almond
une arachide	peanut, monkeynut
la cacahuète	peanut
la clémentine	clementine
la grappe de raisin	bunch of grapes
la mangue	mango
la noix de cajou	cashew nut
la pastèque	watermelon
la pistache	pistachio (nut)

ESSENTIAL WORDS (m)

un **appareil**	appliance; device
un **aspirateur**	vacuum cleaner, Hoover ®
le **buffet** ◊	sideboard
le **bureau** ◊ (*pl* -**x**)	bureau, writing desk
le **canapé**	sofa, settee, couch
le **coffre** ◊	chest
le **congélateur**	freezer
un **électrophone** ◊	record player
le **fauteuil**	armchair
le **frigidaire, frigo** ◊	fridge
le **lecteur de disques compacts** ▭	CD player
le **lit** ◊	bed
le **magnétophone** ◊	tape recorder
le **magnétoscope** ◊	video (recorder)
un **meuble** ▭	a piece of furniture
les **meubles** ◊ ▭	furniture
le **miroir** ◊	mirror
le **piano** ◊ ▭	piano
le **placard** ◊	cupboard
le **radiateur** ◊ ▭	radiator, heater
le **rayon** ◊	shelf
le **tableau** ◊ (*pl* -**x**)	picture
le **téléphone**	telephone
le **téléviseur** ◊ (**couleur**)	(colour) television
le **transistor** ◊	transistor (radio)

IMPORTANT WORDS (m)

le **berceau** (*pl* -**x**)	cradle
le **cadre** ◊	frame
le **camion de déménagement**	removal van
le **déménagement** ◊	removal
le **déménageur**	removal man
le **lampadaire** ▭	standard lamp

un appartement meublé/une pièce meublée a furnished flat/room
allumer/éteindre le radiateur to switch on/off the heater
je fais mon lit le matin I make my bed in the morning
s'asseoir to sit down; **asseyez-vous!** (do) sit down!

le lit d'enfant	cot
les lits superposés	bunk beds
le matelas	mattress
le mobilier	furniture
le porte-parapluies (*pl inv*)	umbrella stand
le répondeur automatique	telephone answering machine
le sèche-cheveux (*pl inv*)	hair-dryer
le secrétaire ◊ ▢	writing desk
le siège	seat
le store	blind
le tabouret	stool
le téléphone sans fil	cordless telephone
le tiroir	drawer
le tourne-disque (*pl ~s*)	record player

un abat-jour (*pl inv*)	lampshade
un accoudoir	armrest
le divan	divan
le divan-lit (*pl ~s~s*)	divan (bed)
le (fauteuil-)relax	reclining chair
le fer à friser	curling tongs
le gadget	thingamajig
un garde-meuble (*pl ~s~(s)*)	furniture depository
le guéridon	pedestal table
le lit à baldaquin	canopied fourposter bed
le lit-cage (*pl ~s~s*)	folding bed
le lustre	chandelier
le monte-charge (*pl inv*)	goods lift
le paravent	folding screen
le pèse-personne (*pl ~s*)	(bathroom) scales
le plafonnier	ceiling light
le portemanteau (*pl -x*)	coat rack
le radio-réveil (*pl ~s*)	clock radio
le réparateur	repairer
le sèche-mains (*pl inv*)	hand dryer
le vaisselier	dresser
le ventilateur	fan

une **armoire**	wardrobe
la **bibliothèque** ◇	bookcase
la **chaîne stéréo**	stereo system
la **chaise**	chair, seat
la **glace** ◇	mirror
la **lampe** ◇	lamp
la **machine à laver** ◇ ▭	washing machine
la **maison** ◇	house
la **peinture** ◇	painting
la **pendule**	clock
la **pièce** ◇	room
la **radio** ◇	radio
la **table** ◇	table
la **table basse**	coffee table
la **télévision**	television

la **caméra** ◇	cine camera
la **caméra vidéo**	video camera, camcorder
la **chaîne compacte (stéréo)**	music centre
la **coiffeuse** ◇	dressing table
la **commode**	chest of drawers
une **étagère**	(set of) shelves
la **moquette**	fitted carpet
la **table de chevet**	bedside table
la **table de toilette**	dressing table
la **table roulante**	trolley

une **applique**	wall lamp
une **essoreuse**	spin-dryer
la **garde-robe** (*pl* ~**s**)	wardrobe
la **glace sans tain**	two-way mirror
la **télécommande**	remote control

c'est un appartement de 4 pièces it's a 4-roomed flat
mettre le couvert, mettre la table to set *or* lay the table
à table, tout le monde! come and eat, everybody!, dinner (*or* lunch etc) is ready!

GEOGRAPHICAL FEATURES

ESSENTIAL WORDS (m)

le désert	desert
le lac ◇	lake
un océan ◇	ocean
le rocher	rock

IMPORTANT WORDS (m)

le delta	delta
le fjord	fjord, fiord
le fleuve ◇	river
le glacier	glacier
le golfe	gulf
le marais	marsh, swamp
le marécage ▢	marsh, swamp
le ruisseau ◇ (pl -x)	stream, brook
le sommet ◇	summit, top
le tremblement de terre	earthquake

USEFUL WORDS (m)

un abîme	abyss, gulf
un affluent	tributary
un archipel	archipelago
l'arrière-pays (pl inv)	hinterland
le col	(mountain) pass
le continent	continent
le cours d'eau	waterway
le cratère	crater
le détroit	strait
l'équateur	equator
un estuaire	estuary
le glissement de terrain	landslide
le gouffre	abyss, gulf
un iceberg [ajsbɛʀg]	iceberg
le précipice	chasm
le ravin	gully, ravine
le récif	reef
les sables mouvants	quicksand(s)
le vallon	small valley
le volcan	volcano

ESSENTIAL WORDS (f)

une île ◇	island
la mer ◇	sea
la montagne ◇	mountain
la rivière ◇	river
la vallée	valley

IMPORTANT WORDS (f)

la chaîne ◇ (de montagnes)	(mountain) range
la falaise ◇	cliff
la péninsule	peninsula
la plaine	plain
la presqu'île	peninsula
la roche	rock
la source	spring

USEFUL WORDS (f)

une avalanche	avalanche
la cascade	waterfall
la crevasse	crevasse
la dune	dune
la gorge	gorge
la grotte ◇	cave
la jungle	jungle
la lande ◇	moor
la lave	lava
une oasis	oasis
la secousse sismique	earth tremor

l'hémisphère nord/sud northern/southern hemisphere
en amont upstream; **en aval** downstream

les Alpes (*fpl*)	the Alps
l'Atlantique (*m*)	the Atlantic
Bordeaux	Bordeaux
Boulogne	Boulogne
la Bourgogne	Burgundy
la Bretagne	Brittany
Bruxelles	Brussels
la Côte d'Azur	the Cote d'Azur
Dieppe	Dieppe
la Dordogne ⌑	the Dordogne
Douvres	Dover
Édimbourg	Edinburgh
la Garonne	the Garonne
le :Havre	le Havre
la Loire	the Loire
Londres	London
Lyon	Lyons
la Manche	the English Channel
Marseille	Marseilles
le Massif Central	the Massif Central
la (mer) Méditerranee	the Mediterranean
la mer du Nord	the North Sea
le Midi	the Midi, the South of France
la Normandie	Normandy
Paris	Paris
les Pyrénées (*fpl*)	the Pyrenees
Québec ⌑	Quebec (city)
le Québec ⌑	Quebec (state)
le Rhin ⌑	the Rhine
le Rhône	the Rhone
la Seine	the Seine
la Tamise ⌑	the Thames

aujourd'hui je vais à Calais/au Havre today I'm going to Calais/to Le Havre
je viens de Londres/du Massif Central I come from London/from the Massif
  Central
je vais en Normandie I'm going to Normandy
la capitale the capital; **le chef-lieu** the main town

IMPORTANT WORDS

Alger	Algiers
Anvers 📖	Antwerp
Athènes	Athens
Bâle	Basle
Barcelone	Barcelona
Berlin	Berlin
le Caire	Cairo
la Corse	Corsica
l'Extrême-Orient (*m*)	the Far East
Genève	Geneva
la Haye	The Hague
les îles (*fpl*) **anglo-normandes**	the Channel Islands
les îles Britanniques	the British Isles
le Jura	the Jura Mountains
le lac Léman 📖	Lake Geneva
Lisbonne	Lisbon
Moscou	Moscow
le Moyen-Orient	the Middle East
le Pacifique	the Pacific
Pékin	Beijing
le Pôle nord/sud	the North/South Pole
le Proche-Orient	the Near East
la Sardaigne	Sardinia
Varsovie	Warsaw
Venise	Venice
Vienne (*Autriche*)	Vienna
les Vosges (*fpl*)	the Vosges Mountains

USEFUL WORDS

l'**Arménie** (*f*)	Armenia
le/la **Basque**	Basque
les **Caraïbes** (*fpl*)	the Caribbean
la **Champagne**	Champagne, the Champagne region
le **Chypre**	Cyprus
la **Crète**	Crete
le **golfe Persique**	the Persian Gulf
le **Pays basque**	the Basque country

GREETINGS AND INTERJECTIONS

bonjour hello; good morning; good afternoon
salut hello, hi; goodbye
ça va? how are you?, how's things?
ça va! (*in reply*) fine!
enchanté(e) (de faire votre connaissance) (very) pleased to meet you
allô hello (*on telephone*)
bonsoir good evening, hello; good night
bonne nuit good night (*when going to bed*)
au revoir goodbye
à demain see you tomorrow
à bientôt, à tout à l'heure see you later
adieu goodbye, farewell
faire ses adieux (à qn) to say one's farewells (to sb)
une étreinte embrace, hug
la poignée de main handshake
donner le baisemain à qn to kiss sb's hand
faire une bise à qn to give sb a kiss
serrer la main à qn to shake sb's hand
s'embrasser to kiss each other

BEST WISHES

bon anniversaire happy birthday
bonne fête happy ''saint's day''
joyeux Noël merry Christmas
bonne année happy New Year
joyeuses Pâques happy Easter
meilleurs vœux best wishes
félicitations congratulations
les compliments congratulations
bon appétit have a nice meal, enjoy your meal
bon courage all the best, chin up
bonne chance good luck
bons baisers love (and kisses) (*at end of letter*)
grosses bises love (*at end of letter*)
à tes (*or* vos) souhaits bless you (*after a sneeze*)
à la tienne (*or* la vôtre) cheers
à ta (*or* votre) santé good health

SURPRISE

mon Dieu my goodness
eh bien, eh ben well
comment?, hein?, eh?, quoi? what (was that)?
ah bon oh, I see
ça, par exemple well, well; my word; really
que de ... what a lot of ...
sans blague(?) really(?)
ah oui?, c'est vrai?, vraiment? really?
tu rigoles, tu plaisantes you're kidding *or* joking
quelle chance! what a stroke of luck!
tiens! well, well!

POLITENESS

s'il vous (*or* te) plaît please; excuse me (*when approaching stranger*)
merci thank you; no, thank you
non merci no thank you; **oui merci** yes please
de rien, je vous en prie, il n'y a pas de quoi not at all, it's quite all right, don't mention it
volontiers willingly, with pleasure
présenter ses hommages à une dame to pay one's respects to a lady

AGREEMENT

oui yes
mais oui, bien sûr of course
d'accord O.K., all right
bon, bien fine, O.K.
c'est entendu(?) agreed(?)
soit! [swa] so be it, agreed
justement exactly, that's just it
tant mieux so much the better
ça m'est égal I don't mind, it's all the same to me

GREETINGS AND INTERJECTIONS

DISAGREEMENT

non no; **ah non alors!** oh no!, no no!
mais non no (*contradicting a positive statement*)
si, mais si yes (*contradicting a negative statement*)
bien sûr que non of course not
jamais de la vie never, not on your life
pas du tout not at all, far from it
au contraire on the contrary
tant pis too bad
oh mais non, vraiment really (*exasperated*)
ça, par exemple well I never, well really
quel culot, quel toupet what a cheek, what a nerve
mêlez-vous de vos affaires mind your own business
cela dépend that depends, it all depends
quand même even so; really (*exasperated*), that's a bit much
à bas . . . down with . . .

DISTRESS

à l'aide! help!
au secours help; **au feu** fire; **aïe** ouch, ow
hélas alas, oh dear
pardon (I'm) sorry, excuse me, I beg your pardon
je m'excuse I'm sorry (*for having done*)
je regrette I'm sorry
les condoléances condolences
désolé(e) I'm (really) sorry
c'est dommage, quel dommage what a pity
zut, flûte drat, dash, bother; **mince alors** dash it
j'en ai marre I'm fed up with it
c'en est trop it's (just) too much
je n'en peux plus I can't stand it any more
oh là là oh dear
quel bazar!, quelle pagaille! what a shambles!
quelle horreur what a thought; how awful
que faire? what shall I (*or* we) do?
à quoi bon . . . (+ *infinitive*) what's the use of . . .?
que je suis (fatigué *etc*) how (tired *etc*) I am
c'est embêtant (de . . .) it's embarrassing (to . . .)
ça m'embête it bothers me
ça m'agace it annoys me, it gets on my nerves

ORDERS

attention watch, be careful
halte-là stop
hep or **eh , vous là-bas** hey, you there
fiche-moi le camp clear off, clear out
chut shhhh
ça suffit that's enough
défense de (fumer *etc***)** no (smoking *etc*)
doucement gently, go easy, easy does it
allons go on, come on
allons-y let's go
allez-y, vas-y on you go, go on, go ahead

OTHERS

ah bon oh well, O.K.
et alors well (*threatening*); so what?, so?
eh bien ... well ...
aucune idée no idea
peut-être perhaps, maybe
je ne sais pas I don't know
vous désirez? can I help you?
voici, tiens (or **tenez)** here, here you are
voilà there, there you are
j'arrive just coming
ne t'en fais pas don't worry
mettez-vous à l'aise make yourself comfortable
ce n'est pas la peine it's not worth it
à propos by the way
dis donc (or **dites donc)** listen, I say
chéri(e) darling
le (or **la) pauvre** poor thing
vivement les vacances! I can't wait for the holidays!

ESSENTIAL WORDS (m)

l' accident	accident
le brancard	stretcher
le cabinet (de consultation) 🔲	surgery
le cachet	tablet
le comprimé	tablet
le coton hydrophile	cotton wool
un coup de soleil	sunburn
le dentiste (*m+f*)	dentist
le docteur 🔲 (*m+f*)	doctor
l' hôpital (*pl* **hôpitaux**)	hospital
un infirmier ◇ 🔲	(male) nurse
le lit ◇	bed
le malade	patient
le médecin (*m+f*)	doctor
le médicament	medicine, drug
le pansement	dressing; bandage
le patient 🔲	patient
le pharmacien ◇	chemist
le plâtre ◇	plaster (cast)
le remède 🔲	remedy, cure
le rendez-vous (*pl inv*)	appointment
un rhume	cold
le sang 🔲	blood
le sirop	syrup
le sommeil 🔲	sleep
le sparadrap	sticking plaster
le ventre	stomach

il y a eu un accident there's been an accident
être admis(e) à l'hôpital to be admitted to hospital
vous devez rester au lit you must stay in bed
se sentir malade, être souffrant(e) to feel ill
se sentir mieux to feel better
j'ai chaud/froid I'm hot/cold
ça me fait mal au cœur it makes me feel sick
maigrir to lose weight; **grossir** to put on weight
avaler to swallow; **saigner** to bleed
se reposer to rest; **guérir** to cure
gravement blessé(e) seriously injured
sous surveillance médicale under medical supervision

ESSENTIAL WORDS (f)

une ambulance ⬦	ambulance
une aspirine	aspirin
l'assurance ⬚	insurance
la blessure	injury, wound
la clinique	clinic, hospital
la crème ⬦	cream, ointment
la cuillerée ⬚	spoonful
la diarrhée	diarrhoea
la douleur	pain
la fièvre	fever, (high) temperature
la grippe	flu, influenza
une infirmière ⬚	nurse
une insolation ⬚	(a touch of) sunstroke
la maladie	illness
la médecine	(*science of*) medicine
une opération ⬚	operation
une ordonnance ⬦	prescription
la pastille	lozenge
la patiente ⬚	patient
la pharmacie ⬦	chemist's (shop)
la pilule	pill; the Pill
la piqûre	injection; sting
la salle de consultation	surgery
la santé	health
la température ⬦	temperature

je me suis blessé(e), je me suis fait (du) mal I have hurt myself
il s'est cassé le bras *etc* he has broken his arm *etc*
je me suis brûlé la main I have burnt my hand
elle s'est coupé le doigt she has cut her finger
j'ai mal à la gorge/mal aux dents/mal à la tête/mal au ventre I've got a sore
  throat/toothache/a headache/a stomach ache
êtes-vous assuré(e)? are you insured?
remets-toi vite! get well soon!
aller à la consultation to go to the surgery
avoir des aigreurs d'estomac to have heartburn
avoir une attaque to have a heart attack; to have a stroke
avoir des battements de cœur to have *or* get palpitations
avoir des bourdonnements d'oreilles to have a buzzing (noise) in one's ears
opérer qn des amygdales to take sb's tonsils out

IMPORTANT WORDS (m)

un abcès	abscess
un accès	fit
le bandage	bandage
le bleu ◇	bruise
le cancer	cancer
le choc	shock
le dentier	(set of) false teeth
le fauteuil roulant	wheelchair
le fortifiant ▭	tonic
le microbe	germ
le nerf	nerve
un œil (pl **yeux**) poché	black eye
les oreillons	mumps
le poison	poison
le pouls [pu]	pulse
les premiers secours or	
les premiers soins	first aid
le régime	diet
le repos	rest
le rhume des foins	hayfever
le Sida, SIDA	Aids, AIDS
le sidéen	Aids victim
le vertige	(attack of) dizziness
le virus HIV	HIV virus

USEFUL WORDS (m)

l'abus de boisson	excessive drinking
l'accouchement	delivery
l'accouchement naturel	natural childbirth
un alcoolique	alcoholic
l'allaitement maternel	breast-feeding
l'allaitement au biberon	bottle-feeding
un ambulancier ◇	ambulanceman
les antécédents médicaux	past medical history
un antibiotique	antibiotic
un anticorps	antibody
un aphte	mouth ulcer
l'asthme	asthma
un avortement	abortion

IMPORTANT WORDS (f)

une ampoule ◇	blister
une angine	tonsillitis
une appendicite	appendicitis
la bande ◇	bandage
la béquille ◇	crutch
la cicatrice	scar
la coqueluche ▭	whooping cough
la crise cardiaque	heart attack
une écharde ▭	splinter
une écharpe ◇	sling
une égratignure	scratch
une épidémie	epidemic
la guérison	recovery
une intervention	operation
la maison de retraite	old folks' home
la meurtrissure	bruise
la migraine	migraine
la nausée	sickness, vomiting
l'ouate (hydrophile)	cotton wool
la plaie	wound
la pommade	ointment
la radio(graphie)	X-ray
la rougeole	measles
la rubéole	German measles
la salle ◇ (d'hôpital)	ward
la toux	cough
la transfusion sanguine	blood transfusion
la typhoïde	typhoid
la varicelle	chickenpox
la variole	smallpox

avoir des ganglions to have swollen glands
avoir des insomnies to suffer from insomnia
avoir un malaise to feel faint *or* dizzy; **avoir mal aux reins** to have backache
avoir de la tension to have high blood pressure
c'est contagieux it's contagious; **être cardiaque** to have a heart condition
elle s'est cassé le col du fémur she has broken her hip
enceinte (de six mois) (6 months) pregnant
se fêler le bras to crack a bone in one's arm
se fouler la cheville to sprain one's ankle

USEFUL WORDS (m) (cont)

le barbiturique	barbiturate
le baume	balm, balsam
le bébé-éprouvette (pl ~s~)	test-tube baby
un bilan de santé	check-up
le brancardier	stretcher-bearer
le caillot	(blood) clot
le calmant	painkiller
le cancérologue	cancer specialist
le cardiologue	cardiologist
le cataplasme	poultice
le claquage	pulled or strained muscle
le collutoire	throat spray
le collyre	eye lotion
le contraceptif	contraceptive
le contrepoison	antidote
le cor (au pied)	corn
le curiste	person taking the waters (*at a spa*)
le débile mental	mental defective
le dépistage	screening
le désinfectant	disinfectant
le diabète	diabetes
le diabétique	diabetic
le diagnostic	diagnosis
le dispensaire	community clinic
l'eczéma	eczema
un élancement	shooting pain
un électrocardiogramme	electrocardiogram
l'électrochoc	electric shock treatment
l'empoisonnement	poisoning
un estropié	cripple
un étourdissement	blackout; dizzy spell
un excitant	stimulant
le fémur	thighbone
le fluor	fluorine
les fourmillements	pins and needles
le frottis	smear
le furoncle	boil
le généraliste	general practitioner
le goutte-à-goutte (pl inv)	drip

USEFUL WORDS (f)

l'ablation	removal
une accoucheuse	midwife
une accoutumance	addiction
l'acné	acne
l'aggravation	worsening
l'agonie	death pangs
une alcoolique	alcoholic
une allergie	allergy
une ambulancière	ambulance woman
l'anesthésie	anaesthetic
l'arthrite	arthritis
l'arthrose	osteoarthritis
une attelle	splint
la bactérie	bacterium
la bile	bile
la boulimie	bulimia
la bronchite	bronchitis
la brûlure	burn
les brûlures d'estomac	heartburn
la cancérologue	cancer specialist
la cardiologue	cardiologist
la carence	deficiency
une carence vitaminique	vitamin deficiency
la carie	caries
la carie dentaire	tooth decay
la cécité	blindness
la césarienne	Caesarean (section)
la chimio	chemotherapy
la chimiothérapie	chemotherapy
la chirurgie	surgery
la chute des cheveux	hair loss
la civière	stretcher
la cloque	blister
la commotion cérébrale	concussion
la congestion (cérébrale)	stroke
la congestion pulmonaire	congestion of the lungs
la conjonctivite	conjunctivitis
la constipation	constipation

USEFUL WORDS (m) (cont)

un **grand malade**	very sick person
les **grands blessés/brûlés**	the severely injured/burned
le **guérisseur**	healer
le **gynécologue**	gynaecologist
le :**handicapé**	physically (or mentally) handicapped person
un **hémophile**	haemophiliac
un **héroïnomane**	heroin addict
le :**hoquet**	hiccough
l'**hospice**	home (for the old and the sick)
un **implant**	implant
un **infirme**	disabled person
un **infirme du travail**	industrially disabled person
un **invalide**	disabled person
le **kyste**	cyst
le **laxatif**	laxative
les **lépreux**	lepers
le **massage**	massage
le **mourant**	dying man
un **oculiste**	eye specialist
l'**oligo-élément** (pl~**s**)	trace element
un **opiomane**	opium addict
un **oto-rhino-laryngologiste** (pl~**s**)	ear, nose and throat specialist
le **pédiatre**	paediatrician
le **pédicure**	chiropodist
le **pestiféré**	plague victim
le **planning familial**	family planning
le **plombage**	filling (in tooth)
le **point de suture**	stitch
le **prématuré**	premature baby

être dans le coma to be in a coma
être plein(e) de courbatures to be aching all over
être faible to be weak; **faire une chute** to have a fall
faire une cure thermale to take the waters (at a spa)
faire une cure de désintoxication to undergo treatment for alcoholism (or drug addiction)
faire un prélèvement de sang to take a blood sample
faire de la rééducation to undergo or have physiotherapy
reprendre connaissance to come to, regain consciousness

la contre-indication (pl ~s)	contra-indication
la convalescence	convalescence
la coupure	cut
la courbature	ache
la couveuse	incubator
la croissance	growth
la cure	course of treatment
la curiste	person taking the waters (*at a spa*)
la cuti-réaction (pl ~s)	skin test
la cystite	cystitis
la débile mentale	mental defective
la déchirure musculaire	torn muscle
la dépression	depression
la déprime	depression
la déshydratation	dehydration
la diabétique	diabetic
la doctoresse	lady doctor
une échographie	ultrasound (scan)
l'électrocution	electrocution
une élongation	strained muscle
une engelure	chilblain
une entorse	sprain
une épidémie	epidemic
l'espérance de vie	life expectancy
une estropiée	cripple
l'euthanasie	euthanasia
l'extinction de voix	loss of voice
la fatigue	tiredness
la fausse couche	miscarriage
la fécondation in vitro	in vitro fertilization
une fracture du crâne	fractured skull
une fracture de la jambe	broken leg
la gale	scabies
une garde-malade (pl ~s~(s))	home nurse
la gélule	capsule
les gelures	frostbite

il n'est pas dans son assiette aujourd'hui he's feeling a bit off-colour today
interner qn (dans un hôpital psychiatrique) to confine sb (to a mental hospital)

HEALTH

le **préservatif**	condom
le **psychanalyste**	psychoanalyst
le **psychiatre**	psychiatrist
le **psychopathe**	psychopath
le **pus** [py]	pus
le **rachitisme**	rickets
le **rappel**	booster
le **refroidissement**	chill
le **remontant**	tonic, pick-me-up
le **rétablissement**	recovery
le **saignement de nez**	nosebleed
le **secourisme**	first aid
le **secouriste**	first aid worker
le **service de réanimation**	intensive care unit
le **service des urgences**	casualty department
les **soins**	treatment, medical attention
le **somnifère**	sleeping drug; sleeping pill
le **souffle au cœur**	heart murmur
le **stress**	stress
le **symptôme**	symptom
le **tabagisme**	addiction to smoking
le **tétanos**	tetanus
le **toxicomane**	drug addict
le **tranquillisant**	tranquillizer
un **ulcère**	ulcer
le **zona**	shingles

enfler to swell; **éternuer** to sneeze
presbyte long-sighted
rauque hoarse
réanimer to resuscitate
renifler to sniff
vomir to vomit, be sick
mortel(le) deadly, lethal
stérile sterile
ça me fait mal! that hurts!
faible weak; **fort(e)** strong
respirer to breathe; **hors d'haleine** out of breath
s'évanouir to faint; **tousser** to cough; **mourir** to die
perdre connaissance to lose consciousness

la généraliste	general practitioner
la gerçure	crack
la glaire	phlegm
la glande	gland
la greffe	transplant
la griffure	scratch
la grossesse	pregnancy
la grosseur	lump
la guérisseuse	healer
la gynécologue	gynaecologist
une hallucination	hallucination
la :handicapée	physically (*or* mentally) handicapped person
une hémorragie	bleeding, haemorrhage
l'hernie	hernia
une héroïnomane	heroin addict
les heures de consultation	surgery hours
l'homéopathie	homeopathy
l'hypertension	high blood pressure
l'hypnose	hypnosis
l'hypotension	low blood pressure
l'immunisation	immunization
l'indigestion	indigestion
une indisposition	(slight) illness
une infection	infection
une infirme	disabled person
une infirmité	disability
une injection	injection
l'intoxication alimentaire	food poisoning
une intraveineuse	intravenous injection
une invalide	disabled person
la jaunisse	jaundice
la lèpre	leprosy
la laryngite	laryngitis
les lésions cérébrales	brain damage
la leucémie	leukaemia
la luxation	dislocation
les maladies vénériennes	venereal diseases, VD
la meningite	meningitis
la ménopause	menopause

la **menstruation**	menstruation
la **mourante**	dying woman
la **névrose**	neurosis
la **nicotine**	nicotine
l' **obésité**	obesity
une **opiomane**	opium addict
une **otite**	ear infection
une **oto-rhino-laryngologiste** (pl ~**s**)	ear, nose and throat specialist
la **pédiatre**	paediatrician
la **pédicure**	chiropodist
la **peste**	plague
la **phobie**	phobia
la **phtisie**	consumption
la **physiothérapie**	natural medicine, alternative medicine
la **pneumonie**	pneumonia
la **pointe de côté**	stitch (*pain*)
la **policlinique**	outpatients' clinic
la **posologie**	directions for use, dosage
la **pression artérielle**	blood pressure
la **prothèse**	artificial limb
la **polyclinique**	private general hospital
la **psychanalyste**	psychoanalyst
la **psychiatre**	psychiatrist
la **psychopathe**	psychopath
la **rage**	rabies
la **rage de dents**	(raging) toothache
la **rechute**	relapse
la **sage-femme** (pl ~**s**~**s**)	midwife
la **salle d'attente** ⇨	waiting room
la **salle d'opération**	operating theatre
la **secouriste**	first aid worker
la **seringue**	syringe
la **table d'opération**	operating table
la **tentative de suicide**	suicide attempt
la **toxicomane**	drug addict
la **tuberculose**	tuberculosis, TB
la **tumeur**	growth, tumour
la **vaccination**	vaccination
la **varice**	varicose vein

ESSENTIAL WORDS (m)

l'accueil 💬	welcome; reception (desk)
l'ascenseur	lift
les bagages ◇	luggage
le balcon ◇	balcony
le bar 💬	bar
le bouton ◇	switch
le bruit 💬	noise
le cabinet de toilette ◇	toilet
le chef ◇ (de cuisine) (m+f)	chef, head cook
le chèque ◇	cheque
le client ◇	resident, guest
le confort 💬	comfort
le déjeuner	lunch
le directeur ◇	manager
l'escalier	stairs, staircase
un étage ◇	floor; storey
le garçon ◇	waiter
le grand lit	double bed
le guide	guide-book
l'hôtel ◇	hotel
un incendie 💬	fire
le jour	day
le Michelin rouge 💬	(red) Michelin guide
le numéro ◇	number
le passeport ◇	passport
le petit déjeuner ◇	breakfast
le porteur ◇ 💬	porter
le pourboire ◇ 💬	tip
le prix ◇	price
le prix maximum 💬	maximum price
le prix minimum 💬	minimum price
le prix net 💬	inclusive price
le réceptionniste 💬	receptionist
le reçu	receipt
le repas ◇	meal
le restaurant ◇	restaurant
le rez-de-chaussée (pl inv)	ground floor
le séjour 💬	stay

le tarif ◇ ▭	scale of charges, tariff
le **téléphone**	telephone
le **téléviseur (couleur)**	(colour) television
les W.-C. ◇ ▭	toilet(s)

IMPORTANT WORDS (m)

le **cabaret**	cabaret
le **chasseur** ◇	page(-boy)
le **cuisinier**	cook
un **estaminet**	''pub''
le **foyer**	foyer
l'**hôtelier**	hotelier
le **maître d'hôtel**	head waiter
le **pensionnaire** ◇	resident, guest (*at boarding house*)
le **portier**	doorman
le **sommelier**	wine waiter

une chambre pour deux personnes a double room
un hôtel de grand luxe a luxury hotel
remplissez cette fiche fill in this form
avez-vous une pièce d'identité? do you have any means of identification?
on a monté les bagages we took the luggage up
on s'est installé we got settled in
occupé(e) occupied; **libre** vacant
propre clean; **sale** dirty

l'addition ◇	bill
les arrhes ◇ ▭	deposit
une auberge ◇	inn
la chambre	room
la clé, clef ◇	key
la cliente ◇	resident, guest
la date	date
la demi-pension (*pl* ~**s**)	half-board
la directrice ◇	manageress
la douche ◇	shower
l'entrée ◇	entrance
une étoile ▭	star
la femme de chambre	chambermaid
la fiche ◇ ▭	form, slip
l'hospitalité	hospitality
la (petite) monnaie ▭	(small) change
la note ◇	bill
la nuit ◇	night
la pension	guest-house, boarding house
la pension complète	full board
la piscine ◇	swimming pool
la réception ▭	reception (desk)
la réceptionniste ▭	receptionist
la réclamation ▭	complaint
la réponse ◇	reply
la salle de bains ◇	bathroom
la salle de télévision	television lounge
la semaine	week
la serveuse	waitress
la sortie de secours ◇ ▭	fire escape
la télévision ◇	television
les toilettes ◇	toilets, ''ladies'', ''gents''
la valise ◇	case, suitcase
la vue ◇ ▭	view

je voudrais réserver une chambre I would like to book a room
une chambre avec douche/avec salle de bains a room with a shower/with a
  bathroom
une chambre pour une personne a single room

IMPORTANT WORDS (f)

la pension de famille — guest-house, boarding house
la pensionnaire — resident, guest (*at boarding house*)
la terrasse — terrace, pavement outside a café

dormir to sleep; **se réveiller** to wake
"tirez" "pull"; **"poussez"** "push"; **"appuyez"** "press"
"tout confort" "with all facilities"
une chambre donnant sur la mer a room overlooking the sea
chambre sans pension room (with no meals)
chambre avec demi-pension bed, breakfast and evening meal
on nous a servis à la terrasse we were served outside

ESSENTIAL WORDS (m)

l'aménagement ▭	fitting out; conversion
l'ameublement ▭	furniture, furnishing(s)
un appartement	flat
un ascenseur ▭	lift
le balcon ◇	balcony
le bâtiment ◇	building
le cabinet de toilette ◇	toilet
le chauffage central	central heating
le concierge	caretaker
le confort ▭	comfort
le couloir ▭	corridor
le débarras ▭	box room, junk room
le déménagement ◇	removal
l'entretien ▭	upkeep; maintenance
un escalier	stairs, staircase
un étage ◇	floor; storey
l'extérieur ▭	exterior, outside
le garage ◇	garage
le grand ensemble ▭	housing estate
un :HLM ▭ (habitation à loyer modéré)	council flat *or* house
un immeuble	block of flats
l'intérieur ▭	interior, inside
le jardin	garden
le logement ▭	lodgings, accommodation
le loyer ▭	rent
le meublé ▭	furnished flat *or* room
un meuble ▭	a piece of furniture
les meubles ◇ ▭	furniture
le mur ▭	wall
le numéro de téléphone	phone number
le palier ▭	landing
le parking ◇	parking space
le propriétaire	owner; landlord
le rez-de-chaussée (*pl inv*)	ground level, ground floor
le salon	lounge, living room
le sous-sol ▭ (*pl ~s*)	basement
le terrain ◇ ▭	plot of land
le toit	roof
le voisin	neighbour

le cabinet de travail	study
le carreau (pl -x)	(floor) tile; (window) pane
le décor ◊	decoration
le grenier ◊	attic
le locataire	tenant; lodger
le parquet	(parquet or wooden) floor
le pavillon ◊ ▢	small (detached) house
le plafond	ceiling
le plancher	floor
le seuil	doorstep
le store	blind
le studio	(one-roomed) flatlet
le tuyau (pl -x)	pipe
le vestibule	hall
le volet	shutter

l'appui de fenêtre	window sill, ledge
l'âtre	hearth
un auvent	canopy
le bail [baj] (pl baux [bo])	lease
le boudoir ◊	boudoir
le carrelage	tiles, tiling
le cellier	storeroom (for wine and food)
le climatiseur	air conditioner
le court-circuit (pl ~s~s)	short(-circuit)
le dallage	paving
un deux-pièces (pl inv)	two-roomed flat
un escalier en colimaçon	spiral staircase
l'éclairage	lighting
l'emménagement	moving in
le fourre-tout (pl inv)	junk room (or cupboard)
le gîte	holiday home
le gratte-ciel (pl inv)	skyscraper
l'interphone	intercom
le judas	spy-hole
le lambris	panelling
le lino(léum)	lino(leum)
le logeur	landlord

ESSENTIAL WORDS (f)

une adresse ◇	address
une allée	lane
une avenue	avenue
la barrière ◇	gate; fence
la cave ⌒	cellar
la chambre (à coucher)	bedroom
la cheminée ◇ ⌒	chimney; fireplace; mantelpiece
la clé, clef ◇	key
la concierge	caretaker
la cour ◇	yard; courtyard
la cuisine ◇	kitchen; cooking
la douche ◇	shower
l'entrée ◇	entrance (hall)
la famille	family
la femme de ménage ◇	cleaning woman
la fenêtre	window
la fumée ◇	smoke
une HLM ⌒ **(habitation à loyer modéré)**	council flat or house
la maison ◇	house
la pelouse	lawn
la pièce ◇	room
la porte (d'entrée)	(front) door
la propriétaire	owner; landlady
la rue	street
la salle à manger ◇	dining room
la salle ◇	room
la salle de bains ◇	bathroom
la salle de séjour	living room
les toilettes ◇	toilet
la voisine ◇	neighbour
la vue ◇ ⌒	view

j'habite un appartement/une maison jumelle I live in a flat/a semi-detached
monter/descendre (l'escalier) to go upstairs/downstairs
en haut upstairs; **en bas** downstairs; **à la maison** at home, in the house
regarder par la fenêtre to look out of the window
chez moi/toi/nous/lui *etc etc* at my/your/our/his *etc* house
déménager to move house; **s'installer** to settle in

USEFUL WORDS (m) (cont)

le lotissement	housing development
le manoir	manor *or* country house
le mas [mɑ]	traditional house *or* farm in Provence
le meublé	furnished room; furnished flat
le paratonnerre	lightning conductor
le pâté de maisons	block (of houses)
le perron	steps (*in front of a mansion etc*)
le portail	gate
le réduit	tiny room; recess
le soupirail	(small) basement window
le survitrage	double glazing
le trou de la serrure	keyhole
le trousseau de clés (*pl* -**x**)	bunch of keys
le vasistas	fanlight
le verrou	bolt
le vide-ordures (*pl inv*)	(rubbish) chute
le village	village
le voisin de palier	neighbour across the landing
le voisinage	neighbourhood

louer une maison to rent a house
faire construire une maison to have a house built
les chambres à l'étage the rooms upstairs, the upstairs rooms
de l'extérieur from the outside; **à l'intérieur** on the inside
jusqu'au plafond up to the ceiling
faire du rangement to tidy up
pendre la crémaillère to have a house-warming party
sentir le renfermé to smell stuffy; **délabré(e)** dilapidated
quand je rentre à la maison when I go home
quand je suis entré(e) dans la salle when I went into the room

une antenne	aerial
une ardoise	slate
la boue ⋄	mud
la chambre d'amis	spare room
la chaudière	boiler
la chaumière ⋄	(thatched) cottage
la façade	front (*of house*)
la :haie ⋄	hedge
la locataire	tenant; lodger
la loge ⋄	caretaker's room
la lucarne ▭	skylight
la maison jumelle	semi-detached house
la maison secondaire	second *or* holiday home
la mansarde	attic
la marche	step
la ménagère	housewife
la parroi ▭	partition
la porte-fenêtre (*pl* ~s~s)	French window
la sonnette	(door)bell
la tuile	(roof) tile
la vitre	(window) pane

l'aération	ventilation
une agence immobilière ⋄	estate agent's (office)
l'arrière-cour (*pl* ~s)	backyard
l'arrière-cuisine (*pl* ~s)	scullery
la balustrade	railing, handrail
une bouche d'aération	air vent
la buanderie	laundry (room)
la canalisation	(main) pipe
la chambre meublée	bedsit
la cheminée ⋄	chimney
la climatisation	air conditioning
la cloison	partition
la coupure de courant	power cut
la dalle	paving stone, flag(stone)
l'eau courante	running water
l'embrasure de la porte	doorway

USEFUL WORDS (f) (cont)

la fissure	crack
les fondations	foundations
la fuite	leak
la garçonnière	bachelor flat
la gentilhommière	(small) manor house
la gouttière	gutter
la grille	gate; railings
l'hypothèque	mortgage
l'insonorisation	soundproofing
la logeuse	landlady
la maison à colombage	half-timbered house
la maisonnette	small house, cottage
la masure	tumbledown cottage
la mezzanine	mezzanine (floor)
la moisissure	mould; mildew
les persiennes	(slatted) shutters
la poutre	beam
la résidence principale	main home
la résidence secondaire	second home
la tour	high-rise block
la véranda	veranda(h)
la verrière	glass roof
la villa	villa, (detached) house
la ville	town

vétuste dilapidated
un toit en ardoise a slate roof
frapper à la porte to knock at the door
on a sonné somebody rang (the doorbell)

ESSENTIAL WORDS (m)

un **aspirateur**	vacuum cleaner, Hoover ®
le **bain** ◇	bath
le **bidet**	bidet
le **bouton** ◇	switch
le **cendrier**	ashtray
le **dentifrice**	toothpaste
le **drap** ◇ ⌐	sheet
un **électrophone** ◇	record player
un **essuie-mains** (*pl inv*)	hand towel
un **évier** ⌐	sink
le **feu** (*pl* -**x**)	fire
le **four**	oven
le **frigidaire, frigo** ◇	fridge
le **gaz** ◇	gas
le **lavabo**	washbasin
le **lave-vaisselle** (*pl inv*)	dishwasher
le **linge** ◇	bedclothes; washing
le **machin**	thing, contraption
le **magnétophone à cassettes**	cassette recorder
le **magnétoscope** ◇	video (recorder)
le **ménage**	housework
le **miroir** ◇	mirror
un **oreiller** ⌐	pillow
le **placard** ◇	cupboard
le **plateau** ◇ (*pl* -**x**)	tray
le **poster**	poster
le **radiateur** ◇ ⌐	radiator; heater
le **réveil, réveille-matin** ◇ (*pl inv*)	alarm clock
les **rideaux** ⌐	curtains
le **robinet** ⌐	tap
le **savon**	soap
le **tableau** ◇	picture
le **tapis**	carpet, rug
le **téléviseur** ◇	television set
le **transistor** ◇	transistor

prendre un bain, se baigner to have a bath
prendre une douche to have a shower
"faire cuire à feu doux" "cook on a low heat"

IMPORTANT WORDS (m)

le balai	brush, broom
le balai mécanique	carpet sweeper
le bibelot 🕮	ornament
le chiffon	duster; rag
le cintre	coat hanger
le coussin	cushion
le couvercle	lid
le fer (à repasser)	iron
le four à micro-ondes	microwave oven
le grille-pain (*pl inv*)	toaster
un interrupteur	switch
le mixeur	(electric) mixer
le moulin à café	coffee grinder
le papier peint	wallpaper
le radiateur à accumulation	storage heater
le seau ◇ (*pl* **-x**)	bucket
le torchon	dishcloth
le traversin 🕮	bolster
le vase	vase

USEFUL WORDS (m)

un aiguisoir	sharpener
un antimite	moth repellent
le balai-brosse (*pl* ~**s**)	(long-handled) scrubbing brush
le bougeoir	candlestick
le chandelier	candlestick
le chauffage d'appoint	back-up heating
le chauffe-eau (*pl inv*)	water heater
le chauffe-plats (*pl inv*)	dish-warmer
le couvre-lit (*pl* ~**s**)	bedspread
le désodorisant	air freshener
le dessous-de-plat (*pl inv*)	table mat
le dessus-de-lit (*pl inv*)	bedspread
le drap-housse (*pl* ~**s**~**s**)	fitted sheet
un édredon	eiderdown
un extincteur d'incendie	fire extinguisher
le fusible	fuse
le garde-feu (*pl inv*)	fender
le paillasson	doormat

ESSENTIAL WORDS (f)	

les **affaires** ◇	things
une **ampoule** ◇ **(électrique)**	light bulb
une **armoire**	wardrobe
la **baignoire**	bath
la **balance**	weighing scales
la **boîte aux lettres** ◇	letterbox
la **brosse**	brush
la **cafetière**	coffee pot; coffee maker
la **casserole**	pan, saucepan
la **couverture**	rug; blanket; cover
la cuisinière ◇ 📖	cooker
la **douche** ◇	shower
l' **eau** ◇	water
l' **électricité**	electricity
la **femme de ménage** ◇	cleaning woman
la **glace** ◇	mirror
la **lampe** ◇	lamp
la **lessive** ◇	washing powder; washing
la lumière ◇ 📖	light
la machine à laver ◇ 📖	washing machine
la **peinture** ◇	paint; painting
la **photo**	photo
la **poêle**	frying pan
la **poubelle** ◇	dustbin
la **poussière** ◇	dust
la prise de courant ◇ 📖	socket, power point
la **recette**	recipe
la serrure 📖	lock
la **serviette** ◇	towel; napkin, serviette
la **télévision** ◇	television
la **vaisselle** ◇	dishes

faire le ménage to do the housework
j'aime faire la cuisine I like (doing the) cooking
faire cuire qch dans une casserole to cook sth in a pan
regarder la télévision to watch television; **à la télévision** on television
allumer/éteindre la télé to switch on/off the TV
jeter qch à la poubelle to throw sth in the dustbin
ouvrir/fermer la lumière to switch on/off the light
faire la vaisselle to do the dishes *or* the washing-up

THE HOUSE – PARTICULAR

le **pare-feu** (*pl inv*)	fireguard
le **plumeau** (*pl* -**x**)	feather duster
le **porte-savon** (*pl* ~**(s)**)	soapdish
le **porte-serviettes** (*pl inv*)	towel rail
le **produit d'entretien**	cleaning product
le **repassage**	ironing
le **sèche-linge** (*pl inv*)	tumble dryer
le **sommier**	bed base

brancher/débrancher to plug in/to unplug
passer l'aspirateur to hoover round
laver le linge, faire la lessive to do the washing
épousseter to dust
faire le repassage/le nettoyage to do the ironing/the cleaning
balayer to sweep (up); **nettoyer** to clean
ranger ses affaires to tidy away one's things
laisser traîner ses affaires to leave one's things lying about

IMPORTANT WORDS (f)

la **boîte à ordures**	dustbin
la **bouilloire**	kettle
la **cocotte-minute** ® (*pl*~**s**~)	pressure cooker
la **corbeille** ◇ (à papier)	waste paper basket
la **couette**	continental quilt, duvet
la **couverture chauffante**	electric blanket
la **descente de lit**	bedside rug
la **discothèque** ◇	record cabinet *or* rack
une **échelle** ◇	ladder
une **éponge**	sponge
la **marmite**	pot
la **moquette**	fitted carpet
les **ordures**	rubbish, refuse
la **planche à repasser**	ironing board
la **poignée** ◇	handle
la **tapisserie** ◇	wallpaper

USEFUL WORDS (f)

une **alèse**	undersheet
l'**argenterie**	silverware
la **balayette**	small brush
la **bassine**	bowl, basin
la **bougie**	candle
la **bouillotte**	hot-water bottle
la **carpette**	rug
la **charnière**	hinge
la **cheminée** ◇	fireplace
la **cuvette**	basin
l'**eau calcaire**	hard water
la **:housse de couette**	duvet cover
la **jardinière**	window box
la **literie**	bedding
la **patère**	(coat-)peg
la **penderie**	walk-in cupboard; wardrobe
la **pince à linge**	clothes peg
la **prise multiple**	adaptor
la **sirène d'alarme** ◇	fire alarm
la **taie** (d'oreiller)	pillowslip, pillowcase

THE HUMAN BODY

le bras	arm
les cheveux	hair
le cœur 📖	heart
le corps 📖	body
le côté	side
le cou	neck
le doigt	finger
le dos	back
l'estomac 📖	stomach
le front	forehead
le genou (pl -**x**)	knee
le menton	chin
le nez	nose
un œil (pl **yeux**)	eye
le pied	foot
le pouce	thumb
le sang 📖	blood
le sourcil	eyebrow
le ventre	stomach
le visage 📖	face
les yeux	eyes

debout standing; **assis(e)** sitting; **couché(e)** lying
je me suis cassé le bras/la jambe I have broken my arm/my leg
je me suis coupé le doigt I have cut my finger
je vais me faire couper les cheveux I am going to have my hair cut
son cœur battait his *or* her heart was beating
jeter un coup d'œil à qn to glance at sb
en un clin d'œil in the twinkling of an eye
(j'y vais) à pied (I'm going) on foot
un coup de pied a kick
il m'a donné un coup de pied he kicked me
ouvrir/fermer la bouche to open/close one's mouth
se taire to keep quiet; **taisez-vous!, tais-toi!** be quiet!
j'ai mal à la gorge I have a sore throat
j'ai mal au ventre I have a sore stomach, I've got stomach ache
ils se sont serré la main they shook hands
de la tête aux pieds from head to foot
lever la tête *or* **les yeux** to look up

ESSENTIAL WORDS (f)

la bouche	mouth
la cheville 📖	ankle
la dent	tooth
une épaule	shoulder
la figure	face
la gorge	throat
la jambe	leg
la joue	cheek
la langue ◇	tongue
la main	hand
une oreille	ear
la peau 📖	skin
la poitrine 📖	chest, bust
la tête	head
la voix	voice

IMPORTANT WORDS (f)

une artère	artery
la chair	flesh
la colonne vertébrale	spine
la côte ◇	rib
la cuisse	thigh
la :hanche	hip
la lèvre	lip
la mâchoire	jaw
la nuque	nape of the neck
la paupière	eyelid
la plante du pied	sole of the foot
la prunelle 📖	pupil (*of the eye*)
la taille ◇	figure; waist
la tempe 📖	temple
la veine ◇	vein

je me suis foulé la cheville I have sprained my ankle
"tour de poitrine" ''chest *or* bust measurement''
parlez plus fort! speak louder!

THE HUMAN BODY

le **cerveau**	brain
le **cil** [sil]	eyelash
le **coude**	elbow
le **derrière**	bottom
les **doigts de pied**	toes
le **foie** ◊	liver
le **geste**	gesture, movement
le **gros orteil**	big toe
un **index**	forefinger
le **mollet**	calf (*of leg*)
le **muscle**	muscle
un **ongle**	nail
un **orteil**	toe
un **os** [ɔs] (*pl* [o])	bone
le **poignet**	wrist
le **poing**	fist
le **poumon**	lung
le **rein**	kidney
le **sein**	breast
le **squelette**	skeleton
le **talon**	heel
le **teint**	complexion
le **trait**	feature

l'**abdomen**	abdomen
l'**annulaire**	ring finger
l'**appendice**	appendix
l'**auriculaire**	little finger
l'**avant-bras** (*pl inv*)	forearm
le **bassin**	pelvis
le **bas-ventre** (*pl* ~**s**)	stomach, guts
le **biceps**	biceps
le **cartilage**	cartilage
le **cérumen**	(ear)wax
le **crâne**	skull
un **embryon**	embryo
le **fœtus** [fetys]	foetus
le **frémissement**	shiver

THE HUMAN BODY

l'aine	groin
l'aisselle	armpit
les amygdales [amidal]	tonsils
l'arcade sourcilière	arch of the eyebrows
l'articulation	joint
la balafre	scar
les bronches	bronchial tubes
la canine	canine (tooth), eye tooth
la chirurgie esthétique	plastic surgery
la clavicule	collarbone, clavicle
la crampe	cramp
la démangeaison	itching
une ecchymose	bruise
une écorchure	scratch; graze
une engelure	chilblain
une éraflure	scratch
les fesses	bottom, buttocks
la gencive	gum
la génétique	genetics
l'haleine	breath
l'incisive	incisor
les mensurations	measurements
le moelle épinière	spinal chord
la molaire	molar
la narine	nostril
l'omoplate	shoulder blade
l'ouïe	hearing
la paume	palm
la pommette	cheekbone
la prémolaire	premolar
la prothèse dentaire	denture(s), false teeth
la pupille	pupil
les règles	(menstrual) period
la respiration	breathing
la rotule	kneecap
la souplesse	suppleness
la sueur	sweat
la verrue	wart, verruca
la vessie	bladder
la vue ⟡	(eye)sight

THE HUMAN BODY

le frisson	shudder
le frissonnement	shudder
le gène	gene
le goût	(sense of) taste
le gros intestin	large intestine
l'index	index finger
le lifting	face lift
le ligament	ligament
le majeur	middle finger
le mamelon	nipple
le nerf [nɛʀ]	nerve
le nombril	navel
l'odorat	(sense of) smell
le palais	palate
le pouls [pu]	pulse
le renvoi	belch
le sinus	sinus
le tartre	tartar (*on teeth*)
le tendon	tendon, sinew
le tibia	shin; shinbone, tibia
le torse	chest
le toucher	(sense of) touch
le tympan	eardrum

sourd(e) deaf; **aveugle** blind; **muet(te)** dumb
handicapé(e) handicapped; **handicapé(e) mental(e)** mentally handicapped
un coup de poing a punch
il m'a donné un coup de poing he punched me
à pleins poumons at the top of one's voice
avoir mauvaise haleine to have bad breath
avoir l'onglée to have fingers numb with cold
avoir le torticolis to have a stiff neck
avoir le hoquet to have (the) hiccoughs
se donner un tour de reins to strain *or* sprain one's back
surveiller sa ligne to watch one's figure
une dent de lait/sagesse milk/wisdom tooth
"tour de hanches" "hip measurement"
"tour de taille" "waist measurement"

ESSENTIAL WORDS (m)

un annuaire	telephone directory
le billet ◇	ticket; (bank)note
le bureau ◇ (pl -x) de change ⊡	bureau de change
le bureau ◇ de poste ⊡	post office
le bureau de renseignements ◇	information desk
le bureau ◇ des objets trouvés	lost property office
le carnet de chèques ◇	cheque book
le centime	centime
le chèque	cheque
le chèque de voyage	traveller's cheque
le code postal	post code
le colis ⊡	parcel, packet
le compte ⊡	account
le coup de téléphone ⊡	phone call
le courrier ⊡	mail, letters
le crédit ⊡	credit
le domicile ⊡	home address
un employé ◇ ⊡	counter clerk
le facteur ◇ ⊡	postman
le formulaire	form
le franc	franc
le guichet ◇ ⊡	counter
le jeton ⊡	token (*for telephone etc*)
le nom	name
le numéro ◇	number
le paiement ⊡	payment
le papier à lettres	writing paper
le paquet	parcel, packet
le passeport ◇	passport
le portefeuille ◇	wallet
le porte-monnaie ◇ (*pl inv*)	purse
le prix ◇	price
le PCV ⊡	reverse-charge call
les renseignements ◇	information; directory enquiries
le stylo	pen
le supplément ◇	extra charge
le syndicat d'initiative, SI ◇	tourist information office
le tarif ◇ ⊡	(postage) rate
le télégramme	telegram
le téléphone	telephone

ESSENTIAL WORDS (m) (cont)

le timbre ◊, **timbre-poste** (*pl* ~**s**~)	(postage) stamp

IMPORTANT WORDS (m)

un aérogramme	airmail letter
l'annuaire des professions	the Yellow Pages
le Bottin	telephone directory
le cadran ◊	dial
le combiné	(*telephone*) receiver
le destinataire	addressee
l'expéditeur	sender
les imprimés	printed matter
le mandat(-poste) (*pl* ~**s**~(**s**))	postal order
le papier d'emballage	wrapping paper
le papier gris	brown paper
le récepteur	(*telephone*) receiver
le standardiste	(*telephone*) operator

USEFUL WORDS (m)

un abonné	subscriber
un abonnement	subscription
l'affranchissement	postage
le combiné	(phone) receiver
l'indicatif	dialling code
le mode d'emploi	directions for use
l'office du tourisme	tourist information office
le photomaton	photo-booth
le prénom	first name
le prospectus	leaflet, brochure
le relevé de compte	bank statement
le sigle	acronym, (set of) initials
le virement bancaire	credit transfer
le virement postal	(National) Giro transfer
le visa	visa

on m'a coupé I've been cut off; **la ligne est occupée** the line is engaged
ne quittez pas hold the line; **patientez, monsieur** *or* **mademoiselle** please wait
je me suis trompé(e) de numéro I got the wrong number; **raccrocher** to hang up

ESSENTIAL WORDS (f)

une adresse ◊	address
les arrhes ◊ ▭	deposit
la banque ◊	bank
la boîte aux lettres ◊	postbox, pillarbox
la cabine téléphonique	callbox
la caisse ◊ ▭	cash desk; check-out
la carte bancaire ▭	bank card
la carte postale	postcard
la dépense ▭	expense
une enveloppe	envelope
une erreur ◊	mistake, error
la fente ▭	slot
la fiche ◊ ▭	form
la lettre	letter
la livre ◊ sterling	pound sterling
la monnaie ▭	change
une opératrice ▭	operator
la pièce ◊ ▭	coin
la pièce d'identité ◊ ▭	(means of) identification
la poste ◊	post office; post
la poste restante	poste restante
les PTT ▭	*French post and phones*
la récompense	reward
la réduction ◊ ▭	reduction
la réponse ◊	reply
la signature ▭	signature
la taxe ◊ ▭	tax

je voudrais me renseigner I would like some information
la banque la plus proche the nearest bank
je voudrais encaisser un chèque/changer de l'argent/envoyer une lettre I would like to cash a cheque/change some money/send a letter
un coup de téléphone *or* **de fil** a phone call
je vais téléphoner à mon père I'm going to phone my father
décrocher to lift the receiver
la tonalité the dialling tone
composer le numéro to dial (the number)
l'indicatif (*m*) the (dialling) code
le signal d'appel the ringing tone
allô – ici Jean *or* **c'est Jean à l'appareil** hello – this is John

---

IMPORTANT WORDS (f)

la bande ◇	wrapper
la carte-lettre (*pl* ~**s**~**s**)	letter-card
la communication interurbaine	trunk call
la communication locale	local call
la dépêche	wire, telegram
la distribution ◇	delivery (*of mail*)
l'horloge parlante	the speaking clock, TIM
la lettre recommandée	registered letter
la majuscule	block *or* capital letter
la poste aérienne	airmail
la sonnerie	bell; ringing
la standardiste	switchboard operator
la télécarte	phone card

USEFUL WORDS (f)

une abonnée	subscriber
une abréviation	abbreviation
la date d'expiration	expiry date
les initiales	initials
la notice explicative	explanatory leaflet
la photo d'identité	passport photograph
la redevance	(telephone) rental charge; (TV) licence fee
la réexpédition	forwarding; return
la sono	PA system
la tonalité	dialling tone

j'ai perdu mon portefeuille – l'avez-vous trouvé? I've lost my wallet – have you found it?
remplir une fiche *or* **une formule** to fill in a form
en majuscules in block letters
"télécarte: en vente ici" "phonecards on sale here"
"rayer la mention inutile" "delete as appropriate"
je vous serais reconnaissant(e) de bien vouloir ... I should be most grateful if you would (kindly) ...

GENERAL SITUATIONS

quelle est votre address? what is your address?
comment cela s'écrit? how do you write (_or_ spell) that?
avez-vous la monnaie de ...? do you have change of ...?
écrire to write; **répondre** to reply; **signer** to sign
est-ce que vous pouvez m'aider? can you help me please?
pour aller à la gare ...? how do I get to the station?
tout droit straight on
à droite to _or_ on the right; **à gauche** to _or_ on the left
derrière behind; **devant** in front (+ of _when prep_)
en face (+ **de** _when prep_) opposite; **vers** towards

le nord: au nord	north: in _or_ to the north
le sud: au sud	south: in _or_ to the south
l'est (_m_): **à l'est**	east: in _or_ to the east
l'ouest (_m_): **à l'ouest**	west: in _or_ to the west

LETTERS

Cher Robert Dear Robert; **Chère Anne** Dear Anne
Cher Monsieur Dear Sir; **Chère Madame** (_or_ **Mademoiselle**) Dear Madam
amitiés very best wishes _or_ regards
bien affectueusement (à vous) yours affectionately
bien amicalement _or_ **cordialement (à vous)** yours ever
bons baisers love and kisses; **ton ami(e)** your friend
veuillez agréer mes (_or_ **nos**) **salutations distinguées** yours faithfully
je vous prie d'agréer, Monsieur (_or_ **Madame** _etc_) **l'expression de mes sentiments
les meilleurs** yours sincerely
T.S.V.P. P.T.O.

PRONUNCIATION GUIDE

When you are talking on the phone or giving details to someone you are often asked to spell something out. This is how you go about it in French. For further information on the International Phonetic Alphabet (IPA) symbols used in column 2, see page 5.

	Phonetically	*Pronounced approximately as*
A	[a]	**ah**
B	[be]	**bay**
C	[se]	**say**
D	[de]	**day**
E	[ə]	**uh**
F	[ɛf]	**ef**
G	[ʒe]	**zhay**
H	[aʃ]	**ash**
I	[i]	**ee**
J	[ʒi]	**zhee**
K	[ka]	**kah**
L	[ɛl]	**el**
M	[ɛm]	**em**
N	[ɛn]	**en**
O	[o]	**oh**
P	[pe]	**pay**
Q	[ky]	**koo**
R	[ɛr]	**air**
S	[ɛs]	**ess**
T	[te]	**tay**
U	[y]	**oo**
V	[ve]	**vay**
W	[dublə ve]	**dooble-vay**
X	[iks]	**eeks**
Y	[i grek]	**ee grek**
Z	[zɛd]	**zed**

Try it out with your own name and the names of some friends.

THE TELEPHONE ALPHABET

When you are making a telephone call, you may want to spell your name, your address or some other word for the benefit of the person you are speaking to. The conventional French and English telephone alphabets are as follows:

A	comme	Anatole	A	for	Andrew
B	comme	Bertha	B	for	Benjamin
C	comme	Célestin	C	for	Charlie
D	comme	Désiré	D	for	David
E	comme	Eugène	E	for	Edward
F	comme	François	F	for	Frederick
G	comme	Gaston	G	for	George
H	comme	Henri	H	for	Harry
I	comme	Irma	I	for	Isaac
J	comme	Joseph	J	for	Jack
K	comme	Kléber	K	for	King
L	comme	Louis	L	for	Lucy
M	comme	Marcel	M	for	Mike
N	comme	Nicolas	N	for	Nelly
O	comme	Oscar	O	for	Oliver
P	comme	Pierre	P	for	Peter
Q	comme	Quintal	Q	for	Queen
R	comme	Raoul	R	for	Robert
S	comme	Suzanne	S	for	Sugar
T	comme	Thérèse	T	for	Tommy
U	comme	Ursule	U	for	Uncle
V	comme	Victor	V	for	Victor
W	comme	William	W	for	William
X	comme	Xavier	X	for	Xmas
Y	comme	Yvonne	Y	for	Yellow
Z	comme	Zoé	Z	for	Zebra

un accent grâve/aigu/circonflexe	acute/grave/circumflex (accent)
la barre oblique	slash, oblique
la cédille	cedilla
les crochets (*mpl*)	square brackets
le deux-points (*pl inv*)	colon
les guillemets (*mpl*)	inverted commas
les parenthèses (*fpl*)	brackets
le point	full stop
le point d'exclamation	exclamation mark
le point d'interrogation	question mark
les points (*mpl*) de suspension	suspense marks
le point-virgule (*pl* ~**s**~**s**)	semicolon
le tiret	dash
le trait d'union	hyphen
le tréma	dieresis
la virgule	comma

souligner to underline

ESSENTIAL WORDS (m)

un **appareil**	appliance; device
le **bol** ◊	bowl
le **congélateur**	freezer
le **frigidaire, frigo** ◊	fridge
le **placard** ◊	cupboard
le **verre** ◊	glass

IMPORTANT WORDS (m)

le **four**	oven
le **pot à lait**	milk jug

USEFUL WORDS (m)

le **beurrier**	butter dish
le **butane**	calor gas
le **casse-noix** (*pl inv*)	nutcrackers
le **compotier**	fruit dish *or* bowl
le **coquetier**	egg cup
le **décapsuleur**	bottle-opener
le **dénoyauteur**	stoner
un **égouttoir**	draining rack
un **épluche-légumes** (*pl inv*)	potato peeler
un **éplucheur**	(automatic) peeler
l'**essuie-tout** (*pl inv*)	kitchen paper
le **fait-tout** (*pl inv*)	stewpot
le **filtre à café**	coffee filter
le **fouet**	whisk
le **freezer**	freezing compartment
le **garde-manger** (*pl inv*)	meatsafe; pantry, larder
le **gaufrier**	waffle iron
le **gril**	steak *or* grill pan
le **gros sel**	cooking salt
le **:hache-légumes** (*pl inv*)	vegetable chopper
le **:hache-viande** (*pl inv*)	(meat) mincer
le **:hachoir**	chopper; (meat) mincer
le **minuteur**	timer
le **moule à tarte**	pie dish, flan dish
le **moule à gâteaux**	cake tin

IMPORTANT WORDS (m) (cont)

le **papier (d')aluminium**	tinfoil
le **pilon**	pestle
le **presse-citron** (*pl inv*)	lemon squeezer
le **presse-purée** (*pl inv*)	potato masher
le **ramequin**	ramekin
le **ravier**	hors d'œuvre dish
le **récipient**	container
le **robot de cuisine**	food processor
le **rouleau à pâtisserie**	rolling pin
le **sablier** ◇	egg timer
le **saladier**	(salad) bowl
le **sucrier**	sugar bowl
le **tournebroche**	roasting spit
un **ustensile de cuisine**	kitchen utensil
le **vide-pomme** (*pl inv*)	apple corer

pétrir to knead
préchauffer to preheat
mettre qch au four to put sth in the oven

ESSENTIAL WORDS (f)

une assiette ◇	plate
la casserole	saucepan
la cuiller, cuillère ◇	spoon
la cuisinière ◇ ▭ (électrique/à gaz)	(electric/gas) cooker
la fourchette ◇	fork
la poêle (à frire)	frying pan
la soucoupe	saucer
la table ◇	table
la tasse ◇	cup
la théière	teapot
la vaisselle ◇	dishes

USEFUL WORDS (f)

une anse	handle (*of a cup*)
une assiette à dessert	dessert plate
une assiette creuse	soup plate
une assiettée	plateful
une assiette plate	(dinner) plate
la centrifugeuse	juice extractor
la cruche	(milk) jug
l'eau de Javel ®	bleach
une écuelle	bowl
la friteuse	chip pan
une :hotte aspirante	cooker hood
la lavette	dish cloth; dish mop
la louche	ladle
la moulinette ®	(vegetable) shredder
la passoire	sieve; colander; strainer
la pelle à tarte	cake *or* pie server
la planche à découper	chopping board
la plaque chauffante	hot plate
la poivrière	pepperpot, pepper shaker
la râpe	grater
la saucière	sauceboat; gravy boat
la sorbetière	ice-cream maker
la soupière	(soup) tureen
la sous-tasse (*pl* ~**s**)	saucer
la yaourtière	yoghurt-maker

ESSENTIAL WORDS (m)

un accident	accident
un agent (de police) ◇	policeman
l'argent ◇	silver; money
le budget 📖	budget
le bulletin d'informations	news bulletin
le bureau des objets trouvés	lost property office
le cambrioleur	burglar, robber
le chèque (de voyage)	(traveller's) cheque
le commissariat de police	police station
le constat	report
le consulat	consulate
un espion	spy
le gendarme	gendarme
le gouvernement ◇	government
un incendie	fire
le manifestant	demonstrator
le mort ◇	dead man
l'or	gold
le portefeuille ◇	wallet
le porte-monnaie ◇ (pl inv)	purse
le poste de police	police station
le problème	problem
le propriétaire	owner
le témoin 📖	witness
le type	fellow, chap
le vol	robbery
le voleur	robber, thief

IMPORTANT WORDS (m)

un agent secret	secret agent
un assassin	murderer
le butin 📖	loot
le cadavre	corpse
le coup (de fusil)	(gun)shot

voler to steal; to rob; **cambrioler** to burgle
j'ai été volé! I've been robbed!

ESSENTIAL WORDS (f)

une **amende** ▢	fine
une armée	army
la bande ◇	gang
la banque ◇	bank
la **faute** ◇ ▢	fault
la gendarmerie	headquarters of gendarmes
une identité	identity
la **manifestation** ▢	demonstration
la mort ◇	death
la morte	dead woman
la peine de mort	death penalty
la permission ◇	permission
la **pièce d'identité** ◇ ▢	(means of) identification
la police d'assurance	insurance policy
la police-secours	emergency services
la propriétaire	owner
la récompense	reward
la **taxe** ◇ ▢	tax

IMPORTANT WORDS (f)

l'accusation	the prosecution
une accusation	charge; accusation
une **agglomération** ◇ ▢	built-up area
une arme	weapon
une arrestation	arrest
la bagarre	fight, scuffle
la bombe	bomb
la cellule	cell

contre la loi against the law; illegal
ce n'est pas de ma faute it's not my fault
au secours! help!; **à l'assassin!** murder!
au voleur! stop thief!; **au feu!** fire!
haut les mains! hands up!
dévaliser une banque to rob a bank
manifester to demonstrate, stage a demonstration
récompenser to reward

IMPORTANT WORDS (m) (cont)

le courage	bravery
le crime	crime
le criminel	criminal
le détective privé	private detective
le détournement	hijacking
le drogué	drug addict
un enlèvement	kidnapping
un escroc [ɛskRo]	crook
le flic	''cop''
le fusil [fyzi]	gun
le gangster	gangster
le garde	guard
le gardien ◇	guard; warden, attendant
le :héros	hero
un hold-up (pl inv)	hold-up
le juge	judge
le jury	jury
le meurtre	murder
le meurtrier	murderer
un otage	hostage
le palais de justice	law courts
le pirate de l'air	hijacker
le policier	policeman
le prisonnier	prisoner
le procès	trial
le reportage	report
le révolutionnaire	revolutionary
le revolver [RevolvɛR]	revolver
le sauvetage	rescue
le terrorisme	terrorism
le terroriste	terrorist
le voyou	hooligan

attaquer qn en diffamation to sue sb for slander
commettre des actes de brigandage to engage in robbery with violence
condamné à 5 mois (de prison) avec sursis given a 5 month suspended (prison)
  sentence

IMPORTANT WORDS (f) (cont)

la **défense** ◇	defence
la **déposition**	statement
la **dispute**	argument, dispute
la **droguée**	drug addict
les **drogues**	drugs
une **émeute**	uprising
une **enquête**	inquiry
une **évasion**	escape
l'**héroïne**	heroine
l'**incarcération**	imprisonment
la **loi**	law
une **ordonnance** ◇	decree, police order
la **pancarte**	placard
la **preuve**	proof
la **prise (de)**	capture (of)
la **prison**	prison
la **rafle**	raid
la **rançon**	ransom
la **révolution**	revolution
la **tentative**	attempt

USEFUL WORDS (f)

une **affaire** ◇	case
l'**aide judiciaire**	legal aid
une **amnistie**	amnesty
une **audience**	hearing
une **audition**	examination
la **calomnie**	slander; libel
la **complice**	accomplice
la **condamnation**	sentence; conviction
la **condamnée**	convict
la **contrebande**	smuggling
la **contrebandière**	smuggler
la **contrefaçon**	counterfeiting; forgery
la **cour d'appel**	Court of Appeal

en état d'arrestation under arrest
en flagrant délit in the act, red-handed
en liberté provisoire/surveillée/conditionnelle on bail/probation/parole

USEFUL WORDS (m)

l' accusé	accused; defendant
un acquittement	acquittal
un alibi	alibi
un appel	appeal
un arrêté	decree
un assassinat	murder
un attentat à la pudeur	indecent exposure; indecent assault
un aveu	confession
le bagnard	convict
le bagne	penal colony
le bandit	gangster, thief
le banditisme	violent crime
le bourreau (pl -**x**)	executioner
le brigand	brigand
le cachot	dungeon
le cambriolage	burglary
le chantage	blackmail
le commissaire	(police) superintendent
le complice	accomplice
le condamné	convict
le contrebandier	smuggler
le dédommagement	compensation
le délinquant	delinquent
le délit	(criminal) offence
le détenu	prisoner
le détournement de fonds	embezzlement or misappropriation of funds
le détournement de mineur	corruption of a minor
un échafaud	scaffold
le faussaire	forger
le faux	fake, forgery
le faux-monnayeur (pl ~**s**)	counterfeiter, forger
le faux témoignage	perjury
le forçat	convict; galley slave
le fric-frac	break-in
le fugitif	fugitive, runaway
le galérien	galley slave
le garde des Sceaux	Lord Chancellor
le geôlier	jailer

la cour d'assises	Crown Court, court of assizes
la cour de cassation	(final) Court of Appeal
la délinquance	criminality
la délinquance juvénile	juvenile delinquency
la délinquante	delinquent
la déposition	statement, deposition
la détenue	prisoner
une empreinte digitale	fingerprint
une escroquerie	swindle
l' évasion	escape
la faussaire	forger
la fraude fiscale	tax evasion
la fugitive	fugitive, runaway
la galère	galley
la garde à vue	police custody
la guillotine	guillotine
une informatrice	informant
la jurée	juror
la juriste	jurist, lawyer
la kleptomane	kleptomaniac
la machination	scheming, frame-up
la maison de redressement	reformatory
la majeure	person who has come of age
les menottes	handcuffs
la partie civile	party claiming damages
la pègre	underworld
la pendaison	hanging
la perquisition	(police) search
la plaidoirie	speech for the defence
la plainte	complaint
les poursuites	legal proceedings
la préfecture de police	police headquarters
la ravisseuse	abductor, kidnapper
les recherches	investigations
la récidive	second (*or* subsequent) offence
la récidiviste	second (*or* habitual) offender
la reconstitution	reconstruction
la séquestration	illegal confinement
la suspecte	suspect
la tentative d'évasion	escape bid

le greffier	clerk of the court
l'homicide	murder
l'homicide involontaire	manslaughter
le :hors-la-loi (pl inv)	outlaw
l'huissier	bailiff
l'indice	clue; piece of evidence
un informateur	informant
l'interrogatoire	questioning; cross-examination
le juré	juror
le juriste	jurist, lawyer
le justicier	judge, righter of wrongs
le kleptomane	kleptomaniac
le casier judiciaire	criminal record
le magistrat	magistrate
le maître chanteur	blackmailer
le majeur	person who has come of age
le malfaiteur	lawbreaker, criminal; thief
le mandat de perquisition	search warrant
le mandat d'arrêt	warrant for arrest
le mineur ◇	minor
le parloir	visiting room (of prison)
le portrait-robot (pl ~s~s)	Identikit ® or Photo-fit picture
le pot-de-vin (pl ~s~~)	bribe
le préfet de police	Chief Constable
le procureur	public prosecutor
le rapt	abduction
le ravisseur	abductor, kidnapper
le recel	receiving (stolen goods)
le récidiviste	second (or habitual) offender
le recours en grâce	plea for clemency
le signalement	description, particulars
le suspect	suspect
le témoignage	testimony, evidence
le tribunal	court
le tribunal d'instance	magistrates' court
le tribunal de grande instance	high court
le tueur à gages	contract killer
le verdict	verdict
le viol	rape
le violeur	rapist

le vol à main armée	armed robbery
le voyeur	peeping Tom

en résidence surveillée under house arrest
être porté disparu to be reported missing
être en infraction to be in breach of the law
faire subir un contre-interrogatoire à qn to cross-examine sb
faire une fugue to run away, abscond
mettre une loi en application to enforce a law
prendre qn en filature to shadow sb
réclusion à perpétuité life imprisonment
s'introduire par effraction dans to break into
sous l'inculpation de on a charge of
traduire en justice to bring before the courts
en détention préventive remanded in custody, on remand
coupable guilty
gracier to pardon
kidnapper to kidnap
libérer to release
prêter serment to take an *or* the oath
s'évader to escape
une attaque à main armée an armed robbery *or* hold-up
détourner un avion to hijack a plane
enlever un enfant to kidnap *or* abduct a child
se battre to fight; **se disputer** to quarrel
une bande de voyous a bunch of hooligans
en prison in prison

MATERIALS

<table>
<tr><td>ESSENTIAL WORDS (m)</td></tr>
</table>

l'aluminium	aluminium
l'argent ◇	silver
le bois ◇ ▢	wood
le coton ▢	cotton
le coton hydrophile	cotton wool
le cuir	leather
l'état	condition
le gas-oil ◇ ▢	diesel
le gaz ◇	gas
le jean	denim
le métal ▢ (*pl* **métaux**)	metal
le nylon ▢	nylon
l'or	gold
le papier ◇	paper
le pétrole	oil, petroleum; paraffin
le plastique ▢	plastic
le verre ◇	glass

<table>
<tr><td>IMPORTANT WORDS (m)</td></tr>
</table>

l'acier	steel
l'acrylique	acrylic (fibre)
le béton	concrete
le bronze	bronze
le caoutchouc [kautʃu]	rubber
le caoutchouc mousse	foam rubber
le carton	cardboard
le charbon	coal
le ciment	cement
le cristal	crystal

une chaise *etc* **de** *or* **en bois** a wooden chair *etc*
une boîte en plastique a plastic box
une bague d'or *or* **en or/d'argent** a gold/silver ring
en bon état in good condition; **en mauvais état** in bad condition
les bottes (*fpl*) **de caoutchouc** wellington boots
le papier d'étain tinfoil, silver paper
le papier hygiénique toilet paper
le fer forgé wrought iron

ESSENTIAL WORDS (f)

la brique	brick
la corde ◇	rope
l'essence ◇ 📖	petrol
la fourrure ◇	fur
l'huile ◇	oil
la laine 📖	wool
la pierre ◇	stone
la soie	silk

IMPORTANT WORDS (f)

l'argile	clay
la cire	wax
la colle ◇	glue
la dentelle	lace
l'étoffe	material
la faïence	earthenware, pottery
la ficelle	string
la :houille	(industrial) coal
la paille ◇	straw
la peau de mouton	sheepskin
la peau de porc	pigskin
la porcelaine	porcelain, china
la toile	linen; canvas

USEFUL WORDS (f)

une auréole	ring
la chaux	lime
l'ébonite	vulcanite, ebonite
une émeraude	emerald
la ferraille	scrap iron
la feutrine	(lightweight) felt

un manteau en fourrure a fur coat
un pull en laine a woolly jumper
un bout de ficelle a piece of string
un chapeau de paille a straw hat

MATERIALS

IMPORTANT WORDS (m) (cont)

le cuivre	copper
le cuivre jaune	brass
le daim	suede
le drap ◇	woollen cloth
l'étain	tin; pewter
le fer	iron
le fer-blanc ▭ (*pl* ~**s**~**s**)	tin, tinplate
le fil	thread
le fil de fer	wire
le granit	granite
le lin ▭	flax
le liquide	liquid
le marbre	marble
les matériaux	materials
l'osier ▭	wickerwork
le plâtre ◇	plaster
le plomb	lead
le satin	satin
le suède	suede
le tergal ®	terylene ®
le tissu	cloth, material
le tweed	tweed
le velours	velvet
le velours côtelé	cord, corduroy
le vinyle	vinyl

USEFUL WORDS (m)

l'acajou	mahogany
un alliage	alloy
le bitume	asphalt, tarmac ®
le contre-plaqué	plywood
le crin	horse hair
l'ébène	ebony
l'émail	enamel
le fer forgé	wrought iron
le goudron	tar(mac ®)
le grès	sandstone; stoneware
l'inox(ydable)	stainless steel
l'ivoire	ivory

USEFUL WORDS (f) (cont)

la **fibre de verre**	fibre glass
la **fonte**	cast iron
la **glaise**	clay
la **mousseline**	muslin
la **nacre**	mother-of-pearl
la **pâte à papier**	paper pulp
la **pépite**	nugget
la **pierre ponce**	pumice stone
la **rouille**	rust
la **soude**	soda
la **terre cuite**	earthenware; terracotta
la **tôle ondulée**	corrugated iron

adhésif(ive) adhesive, sticky
rêche rough; **résistant(e)** strong, hard-wearing
rugueux(euse) rough (*wood etc*)
soyeux(euse) silky

MATERIALS

le jade	jade
le jais	jet
le jaspe	jasper
le lainage	woollen material
le laiton	brass
le liège	cork
le macadam	tarmac ®
le madrier	beam
le mastic	putty
le minerai	ore
le mortier	mortar
le papier de verre	sandpaper
le platine	platinum
le raphia	raffia
le rotin	rattan (cane)
le silex	flint
le similicuir	imitation leather
le soufre	sulphur
le tissu-éponge (*pl* ~**s**~)	(terry) towelling

plaqué or/argent gold-/silver-plated

un **article**	article
le **journal** ◇ (*pl* **journaux**)	newspaper
le **journaliste**	journalist
le **magazine**	magazine
le **reportage**	report; story; article
le **reporter**	reporter

un **attaché de presse**	press officer
un **auteur à succès**	bestselling author
le **bestseller**	bestseller
le **communiqué de presse**	press release
le **documentaire**	documentary
les **droits d'auteur**	royalties
un **exemplaire**	copy
l'**indice d'écoute** 🖱	ratings
le **logo**	logo
le **périodique**	periodical
le **quotidien populaire**	tabloid
le **reportage exclusif**	exclusive (story)
les **romans à sensation** 🖱	pulp fiction
les **romans de qualité** 🖱	quality fiction
le **slogan**	slogan
le **spot publicitaire**	commercial break
le **tirage**	circulation

grandes ondes long wave(s)
ondes courtes short wave(s)
petites ondes, ondes moyennes medium wave(s)
le journal du matin/du soir/du dimanche the morning/evening/Sunday paper
diffuser to broadcast
en direct live; **en différé** (pre-)recorded
allumer, mettre to switch on
éteindre, arrêter to switch off
passer à la télé/à la radio to be on TV/on the radio

---

un animateur ◇	compère
un applaudimètre	clapometer
un auditeur	member of the audience (*at a conference*); listener (*radio*)
un auditorium	public studio
le chroniqueur	columnist
le clip	pop (*or* promotional) video
le critique	critic
le documentaire	documentary
l'éditorial	leading article, editorial
un éditorialiste	leader *or* editorial writer
un enregistrement	recording
un envoyé	correspondent
le feuilleton	serial
un flash (*pl*~**es**)	newsflash
le gros titre	headline
l'hebdo, hebdomadaire	weekly
un illustré	illustrated magazine; comic
le journal télévisé	television news
le magnétoscope ◇	video recorder
les mass(-)media	mass media
le mensuel	monthly
le panneau publicitaire	hoarding
le présentateur	presenter
le quotidien	daily (paper)
le réabonnement	renewal of subscription
le scoop	scoop, exclusive
le téléfilm	TV film

ESSENTIAL WORDS (f)

la **chaîne** ◇	channel
une **émission**	programme, broadcast
la **journaliste**	journalist
la **presse**	press
la **publicité** ◇	advertising
la **radio** ◇	radio
la **télévision** ◇	television

IMPORTANT WORDS (f)

une **affiche** ◇	poster
une **attachée de presse**	press officer
l'**avant-première** (*pl* ~**s**)	preview
la **campagne de publicité**	advertising campaign
la **conférence de presse**	press conference
une **étude d'opinion** ▭	audience research
l'**image de marque** ▭	brand image
la **légende**	caption
la **pub** [pyb]	ad
la **revue (de luxe)**	(glossy) magazine
la **série**	series
la **suite**	sequel

USEFUL WORDS (f)

une **animatrice**	compère
une **auditrice**	member of the audience (*at a conference*); listener (*radio*)
la **censure**	censorship
la **chronique**	column, page
la **chronique sportive**	sport review
la **chronique théâtrale**	theatre review
la **critique**	critic; review
la **désinformation**	disinformation
une **éditorialiste**	leader *or* editorial writer
une **envoyée**	correspondent
la **liberté de la presse**	freedom of the press
la **mondovision**	television broadcast by satellite
la **nécrologie**	obituary

les petites annonces	the classified ads
la présentatrice	presenter
la réclame	advertisement
la rédaction	editorial staff; editorial office
la rediffusion	repeat (*programme*)
la réédition	new edition
la réimpression	reprinting; reprint
la reprise	repeat
la rubrique	column
la une	front page, page one

bas de gamme down-market
haut de gamme up-market
grand public mass market
trimestriel(le) quarterly
la télévision par câble/par satellite cable/satellite TV
la télévision en couleurs/en noir et blanc colour/black and white television
les heures de grande écoute prime time

le combat	fight; fighting
le soldat	soldier

le blindé 🕮	armoured car; tank
le cessez-le-feu (*pl inv*)	ceasefire
le défilé ◇	parade
le déserteur	deserter
un obus [ɔby] 🕮	shell
le régiment	regiment
le service militaire	military service

un adjudant	warrant officer
un adjudant-chef (*pl* ~**s**~**s**)	warrant officer 1st class
un amiral	admiral
un ancien combattant	ex-serviceman; war veteran
un appelé	conscript
les baraquements	camp
le bataillon	batallion
le bombardement	bombing
le bombardier	bomber
le camp [kɑ̃]	camp
le canon	cannon
le capitaine	captain
le caporal (*pl* **caporaux**)	lance-corporal
le caporal-chef (*pl* **caporaux**~**s**)	corporal
le cavalier	cavalryman
le chasseur ◇	fighter (plane)
le château fort	stronghold, fortified castle
le civil	civilian
le colonel	colonel; (air force) group captain
le colt	revolver, Colt ®
le commandant	major; squadron leader; captain
le contingent	contingent
le couvre-feu (*pl* -**x**)	curfew
le démineur	bomb disposal expert

un éclaireur	scout
un engagé	enlisted man
un engagé volontaire	volunteer
un envahisseur	invader
un escadron	squadron
l'état-major (*pl* ~**s**~**s**)	staff
le fantassin	infantryman
le fusil-mitrailleur (*pl* ~**s**~**s**)	machine gun
le galon	stripe
le général (d'armée)	general; air chief marshall
le général de brigade	brigadier; air commodore
le général de corps d'armée	lieutenant general; air marshall
le général de division	major general; air vice-marshall
le général en chef	general-in-chief, general-in-command
un gilet pare-balles	bullet-proof jacket
le grade	rank
le grenadier	grenadier
le guérillero	guerrilla
le guerrier	warrior
le guet-apens (*pl* ~**s**~**s**)	ambush
le guetteur	look-out
un infirme de guerre	war cripple
le lance-flammes (*pl inv*)	flame-thrower
le lance-missiles (*pl inv*)	missile launcher
le lance-pierres (*pl inv*)	catapult
le lance-torpilles (*pl inv*)	torpedo tube
le légionnaire	legionnaire
le lieutenant	lieutenant; flying officer
le lieutenant-colonel (*pl* ~**s**~**s**)	lieutenant-colonel; wing officer
le major	adjutant
le maréchal (*pl* **maréchaux**)	field marshal
le maréchal des logis	sergeant
le mess	mess
le militaire	serviceman
le mirador	watchtower
un objecteur de conscience	conscientious objector
un observatoire	observation *or* look-out post
l'occupant	the occupying forces
le para	para

ESSENTIAL WORDS (f)

une arme	weapon
l'armée	army
l'armée de l'air	Air Force
la guerre	war
la marine	navy
la paix	peace

IMPORTANT WORDS (f)

la bombe	bomb
la caserne	barracks
la défense ◇	defence
la recrue	recruit

USEFUL WORDS (f)

une alerte	warning, alarm
l'armure	armour
la brigade	brigade
la carabine	rifle
la cartouche	cartridge
la cavalerie	cavalry
la cavalière	cavalrywoman
la cible	target
la civile	civilian
la corvée	fatigue (duty)
la dynamite	dynamite
une échauffourée	skirmish
une embuscade	ambush
une épée	sword
une estafette	courier
la flotte	fleet
la forteresse	fortress
les fortifications	fortifications
la frégate	frigate
la fusillade	gunfire, shooting; gun battle
la gâchette	trigger
la garnison	garrison
la grenade lacrymogène	teargas grenade
la guérilla	guerrilla warfare

---

le parachutiste	paratrooper
le peloton d'exécution	firing squad
le permissionnaire	soldier on leave
le pistolet	pistol, gun
le poignard	dagger
le report d'incorporation	deferment
le sergent	sergeant
le sous-officier (*pl* ~**s**)	non-commissioned officer (NCO)
le tireur d'élite	marksman, sharp shooter
le torpilleur	torpedo boat

faire le guet to be on the watch *or* look-out
faire le parcours du combattant to go round an assault course
il s'est fait réformer he was declared unfit for service
passer à l'offensive to go into the attack
passer en conseil de guerre to be court-martialled
s'enrôler dans l'armée to enlist in the army
se replier to withdraw, fall back

la guerrière	warrior
l'infanterie	infantry
l'invasion	invasion
la lance	spear
la légion	legion
la Légion étrangère	Foreign Legion
la milice	militia
la mitraillette	submachine gun
la mitrailleuse	machine gun
les munitions	ammunition
une offensive	offensive
une ogive nucléaire	nuclear warhead
la patrouille	patrol
la permission ◇	leave
la reddition	surrender
les représailles	reprisals, retaliation
la sentinelle	sentry
la sirène d'alarme ◇	air-raid siren
la torpille	torpedo
la trêve	truce

MUSIC

ESSENTIAL WORDS (m)

le chef d'orchestre	conductor
le groupe	group
un instrument de musique 📖	musical instrument
le musicien 📖	musician
un orchestre	orchestra
le piano ◇	piano
le saxophone	saxophone
le trombone	trombone
le violon	violin, fiddle

IMPORTANT WORDS (m)

un accord ◇	chord
un accordéon	accordion
le basson	bassoon
le bâton ◇	conductor's baton
le clairon 📖	bugle
le cor d'harmonie	French horn
l'harmonica	harmonica, mouth organ
le :hautbois	oboe
le jazz [dʒaz]	jazz
un orgue	organ
le soliste	soloist
le tambour	drum
le tambourin	tambourine
le triangle	triangle
le violoncelle	cello
le xylophone [ksilɔfɔn]	xylophone

USEFUL WORDS (m)

l'accompagnement	accompaniment
un accordéoniste	accordionist
un alto	viola
un ampli(ficateur)	amplifier
un archet	bow
un auteur-compositeur (pl ~s~s)	composer-songwriter
le baryton	baritone
le bassiste	(double) bass player

ESSENTIAL WORDS (f)

la clarinette	clarinet
la flûte	flute
la flûte à bec	recorder
la guitare	guitar
la musique ◇	music

IMPORTANT WORDS (f)

la batterie ◇	drums, drum kit
la contrebasse	double bass
la corde ◇	string
la cornemuse	bagpipes
les cymbales	cymbals
la fanfare	brass band; fanfare
la grosse caisse	big drum, bass drum
la :harpe	harp
la note ◇	note
la salle des fêtes	concert hall
la soliste	soloist
la touche ◇ ⌒	(piano) key
la trompette	trumpet

THE SCALE

do	do(h)	C
ré	re	D
mi	mi	E
fa	fa	F
sol	so(h)	G
la	la	A
si	ti, te	B

écoutez la musique! listen to the music!; **rayé(e)** scratched (*record etc*)
jouer du piano/de la guitare/du violon/de la batterie to play the piano/the guitar/the violin/the drums
travailler son piano to practise the piano; **une fausse note** a wrong note
jouer *or* **interpréter un morceau** to play a piece
jouer fort to play loudly; **jouer doucement** to play softly
jouer/chanter juste to play/sing in tune; **jouer/chanter faux** to play/sing off key

MUSIC

USEFUL WORDS (m) (cont)

le batteur	drummer
le chœur	choir
le choriste	choir member
le clarinettiste	clarinettist
le clavecin	harpsichord
le claveciniste	harpsichordist
le compositeur	composer
le contrebassiste	(double) bass player
le duo	duet
un enregistrement	recording
un exécutant	performer
le flûtiste	flute player, flautist
le guitariste	guitarist
l'harmonium	harmonium
le :harpiste	harpist
un homme-orchestre (pl ~s~s)	one-man band
un imprésario	impresario
le luth	lute
le luthier	(stringed-)instrument maker
le mélomane	music lover
le micro(phone)	mike, microphone
le microsillon	long-playing record
le phonographe	(wind-up) gramophone
le pianiste	pianist
le play-back	miming
le pot-pourri (pl ~s~s)	potpourri, medley
le quarante-cinq tours	single
le quartette	jazz quartet(te)
le quatuor	quartet(te)
le quintette	quintet(te)
le refrain	refrain, chorus; tune
le slow	slow number
le solfège	musical theory
le solo (pl soli)	solo
le synthétiseur	synthesizer
le tam-tam (pl ~s)	tomtom
le trente-trois tours	LP
le trompettiste	trumpet player
le violoncelliste	cellist, cello player
le violoniste	violinist, violin player

une accordéoniste	accordionist
une alto	(contr)alto
une auteur-compositeur (*pl* ~**s**~**s**)	composer-songwriter
la ballade	ballad
la basse	bass
la bassiste	(double) bass player
la berceuse	lullaby
la cassette vierge	blank tape
la choriste	choir member
la cithare	zither
la clarinettiste	clarinettist
la claveciniste	harpsichordist
la comptine	nursery rhyme
la contrebassiste	(double) bass player
une enceinte (acoustique)	speaker
une exécutante	performer
la flûte de Pan	panpipes
la flûtiste	flute player, flautist
la gamme	scale
la guitare basse	bass guitar
la guitariste	guitarist
la :harpiste	harpist
la :hi-fi [hifi]	hi-fi
la lyre	lyre
la mandoline	mandolin(e)
la mélomane	music lover
la musique classique	classical music
les paroles	lyrics
la partition	score
la percussion	percussion
la pianiste	pianist
la platine	turntable
la platine laser	compact disc player
la pochette de disque	record sleeve
la tournée	tour (*of artist*)
la trompettiste	trumpet player
la violoncelliste	cellist, cello player
la violoniste	violinist, violin player
la vocalise	singing exercise

NUMBERS AND QUANTITIES

nought	0	zéro
one	1	(m) un, (f) une
two	2	deux
three	3	trois
four	4	quatre
five	5	cinq
six	6	six
seven	7	sept
eight	8	huit
nine	9	neuf
ten	10	dix
eleven	11	onze
twelve	12	douze
thirteen	13	treize
fourteen	14	quatorze
fifteen	15	quinze
sixteen	16	seize
seventeen	17	dix-sept
eighteen	18	dix-huit
nineteen	19	dix-neuf
twenty	20	vingt
twenty-one	21	vingt et un
twenty-two	22	vingt-deux
twenty-three	23	vingt-trois
thirty	30	trente
thirty-one	31	trente et un
thirty-two	32	trente-deux
forty	40	quarante
fifty	50	cinquante
sixty	60	soixante
seventy	70	soixante-dix
seventy-one	71	soixante-et-onze
eighty	80	quatre-vingts
eight-one	81	quatre-vingt-un
ninety	90	quatre-vingt-dix
ninety-one	91	quatre-vingt-onze
a (or one) hundred	100	cent
a hundred and one	101	cent un
a hundred and two	102	cent deux
a hundred and ten	110	cent dix

CARDINAL NUMBERS (cont)

a hundred and eighty-two	182	cent-quatre-vingt-deux
two hundred	200	deux cents
two hundred and one	201	deux cent un
two hundred and two	202	deux cent deux
three hundred	300	trois cents
four hundred	400	quatre cents
five hundred	500	cinq cents
six hundred	600	six cents
seven hundred	700	sept cents
eight hundred	800	huit cents
nine hundred	900	neuf cents
a (or one) thousand	1000	mille
a thousand and one	1001	mille un
a thousand and two	1002	mille deux
two thousand	2000	deux mille
ten thousand	10000	dix mille
a (or one) hundred thousand	100000	cent mille
a (or one) million	1000000	un million
two million	2000000	deux millions

N.B. 1000000: In French, the word *million* is a noun, so the numeral takes *de* when there is a following noun: *un million de gens, trois millions de maisons*

les nombres pairs/impairs even/odd numbers
une assiette de a plate of
une bande de a group *or* gang of; a flock of (*birds*)
beaucoup de (monde) lots of (people)
une boîte de a tin *or* can of; a box of
un bol de a bowl of
une bouchée de a mouthful of
un bout de papier a bit *or* piece of paper
une bouteille de a bottle of
cent grammes (*mpl*) de a hundred grammes of
une centaine de (about) a hundred
une cuillerée de a spoonful of
un demi de bière half a litre of beer, ''a half''
une demi-douzaine de half a dozen

NUMBERS AND QUANTITIES

ORDINAL NUMBERS

first	1	(m) premier, (f) -ière
second	2	deuxième
third	3	troisième
fourth	4	quatrième
fifth	5	cinquième
sixth	6	sixième
seventh	7	septième
eighth	8	huitième
ninth	9	neuvième
tenth	10	dixième
eleventh	11	onzième
twelfth	12	douzième
thirteenth	13	treizième
fourteenth	14	quatorzième
fifteenth	15	quinzième
sixteenth	16	seizième
seventeenth	17	dix-septième
eighteenth	18	dix-huitième
nineteenth	19	dix-neuvième
twentieth	20	vingtième
twenty-first	21	vingt et unième
twenty-second	22	vingt-deuxième
thirtieth	30	trentième
thirty-first	31	trente et unième
fortieth	40	quarantième
fiftieth	50	cinquantième
sixtieth	60	soixantième
seventieth	70	soixante-dixième
eightieth	80	quatre-vingtième
ninetieth	90	quatre-vingt-dixième
hundredth	100	centième
hundred and first	101	cent unième
hundred and tenth	110	cent-dixième
two hundredth	200	deux centième
three hundredth	300	trois centième
four hundredth	400	quatre centième
five hundredth	500	cinq centième
six hundredth	600	six centième
seven hundredth	700	sept centième
eight hundredth	800	huit centième

216

nine hundredth	**900**	neuf centième
thousandth	**1000**	millième
two thousandth	**2000**	deux millième
millionth	**1000000**	millionième
two millionth	**2000000**	deux millionième

a half	½	(*m*) un demi, (*f*) une demie
one and a half helpings	1½	une portion et demie
two and a half kilos	2½	deux kilos et demi
a third	⅓	un tiers
two thirds	⅔	deux tiers
a quarter	¼	un quart
three quarters	¾	trois quarts
a sixth	⅙	un sixième
five and five sixths	5⅚	cinq et cinq sixièmes
a twelfth	$\frac{1}{12}$	un douzième
seven twelfths	$\frac{7}{12}$	sept douzièmes
a hundredth	$\frac{1}{100}$	un centième
a thousandth	$\frac{1}{1000}$	un millième

un demi-kilo de half a kilo of
un demi-litre de half a litre of
une demi-livre de half a pound of
tous (*f* toutes) les deux both of them
une dizaine de (about) ten
une douzaine de a dozen
une foule de a crowd of, crowds of, heaps of, masses of
un kilo(gramme) de a kilo(gramme) of
à quelques kilomètres de a few kilometres from
un litre de a litre of
une livre ◊ de a pound of
un mètre de a metre of
à quelques mètres de a few metres from
des milliers de thousands of
la moitié de half of
un morceau de sucre a lump of sugar
un morceau de gâteau a piece *or* slice of cake
une paire de a pair of
un paquet de a packet of

une partie ◇ de a part of
une pelletée de a shovelful of
un peu de a little
une pile de a pile of
la plupart de *or* **des** most (of)
plusieurs (des) several (of)
une poignée ◇ de a handful of
une portion de a portion *or* helping of
un pot de a pot *or* tub of; a jar of
(une) quantité de a lot of, many; a quantity of
un quart de a quarter of
une rasade de a glassful of
une soixantaine de sixty or so, about sixty
une tablette de a bar of (*chocolate*)
un tas de a heap of, heaps of
une tasse de a cup(ful) of
un tonneau de a barrel of
une tranche de a slice of
trois quarts de three quarters of
un troupeau de a herd of (*cattle*); a flock of (*sheep*)
un verre de a glass of

l' argent ◇	silver; money
le bijou (*pl* -**x**)	jewel
le bracelet	bracelet, bangle
le déodorant	deodorant
le gant de toilette	face flannel
le maquillage ▭	make-up
le miroir ◇	mirror
l' or	gold
le parfum ◇ ▭	perfume, scent
le peigne	comb
le rasoir ▭	razor
le salon de beauté	beauty salon *or* parlour
le shampooing	shampoo

le bigoudi ▭	curler, roller
le blaireau (*pl* -**x**) ▭	shaving brush
le bouton de manchette ▭	cufflink
le collier	necklace, beads
le diamant	diamond
le dissolvant	nail varnish remover
les effets personnels	personal effects
le fard	make-up
le fard à paupières	eye-shadow
le fond de teint	foundation
le kleenex ®	(paper) tissue
le pendentif ▭	pendant
le porte-clefs (*pl inv*)	key-ring
le poudrier	(powder) compact
le rimmel ®	mascara
le rouge à lèvres	lipstick
le vernis à ongles	nail varnish, nail polish

se laver to get washed; **s'habiller** to get dressed
se farder, se maquiller to put on one's make-up
se démaquiller to take off one's make-up
se coiffer to do one's hair
se brosser les cheveux to brush one's hair
se peigner to comb one's hair

PERSONAL ITEMS

un **agenda** ◇	diary
un **animal en peluche**	soft toy, fluffy animal
l' **attirail**	gear
le **bracelet-montre** (*pl* ~**s**~**s**)	wristwatch
le **coupe-ongles** (*pl inv*)	nail clippers
le **démaquillant**	make-up remover
un **écrin**	case, box (*for silver, jewels*)
un **étui à lunettes**	glasses case
un **eye-liner**	eyeliner
le **nounours**	teddy (bear)
les **objets de valeur**	valuables, articles of value
le **porte-bonheur** (*pl inv*)	lucky charm
le **rubis**	ruby
le **saphir**	sapphire
le **talc**	talc, talcum powder

ESSENTIAL WORDS (f)

la bague	ring
la beauté	beauty
la brosse à dents	toothbrush
la chaîne	chain
la chaînette	chain
la crème de beauté	face cream
l'eau de toilette	toilet water
la glace ◇	mirror
la montre ◇	watch
la pâte dentifrice	toothpaste

IMPORTANT WORDS (f)

une alliance	wedding ring
la boucle d'oreille (*pl* ~**s d'oreille**)	earring
la broche	brooch
la coiffure	hairstyle
la crème à raser	shaving cream
une éponge	sponge
la gourmette ◫	identity bracelet
la perle	pearl
la perruque	wig
la poudre (de riz)	face powder

USEFUL WORDS (f)

la chevalière	signet ring
la lame de rasoir	razor blade
la laque	hair spray
la lotion après rasage	aftershave
la pince à épiler	tweezers
la serviette périodique	sanitary towel
la tirelire	moneybox; piggy bank
la trousse de toilette	toilet bag, sponge bag

se raser to shave; **se brosser les dents** to brush one's teeth
prêt(e) à partir ready to leave
une valeur sentimentale sentimental value
bijou (de) fantaisie fancy jewellery
il est arrivé avec tout son attirail he arrived with all his paraphernalia

---

ESSENTIAL WORDS (m)	

un arbre ◊	tree
le banc (de jardin)	(garden) seat
le bouquet de fleurs	bunch of flowers
le jardin	garden
le jardinage	gardening
le jardinier	gardener
les légumes ◊	vegetables
le parfum ◊ ▭	perfume, scent
le soleil ◊	sun

IMPORTANT WORDS (m)	

un arbuste ▭	shrub, bush
un arrosoir	watering can
le bassin	(ornamental) pool
le bourgeon	bud
le bouton-d'or (pl ~s~)	buttercup
le buisson ◊	bush
le chèvrefeuille ▭	honeysuckle
le chrysanthème	chrysanthemum
le coquelicot ▭	poppy
le crocus	crocus
le feuillage ◊	leaves
le gazon	lawn; turf
l'hortensia ▭	hydrangea
le jardin potager	vegetable garden
le lierre	ivy

un jardin entouré d'arbres a garden surrounded by trees
offrir un bouquet de fleurs à qn to give sb a bunch of flowers
tondre le gazon to mow the lawn
"défense de marcher sur le gazon" ''keep off the grass''
mon père aime jardiner my father likes gardening
planter to plant; **déplanter** to dig up

---

une abeille	bee
la barrière ⋄	gate; fence
la branche	branch
la culture ⋄	cultivation
la feuille ⋄	leaf
la fleur	flower
la guêpe	wasp
l'herbe ⌑	grass
la pelouse	lawn
la pierre ⋄	stone, rock
la plante	plant
la pluie ⋄	rain
la rose ⋄	rose
la terre ⋄	earth, ground

une allée	path
la baie ⋄	berry
la brouette	wheelbarrow
la clôture	fence
une échelle ⋄	ladder
une épine	thorn
la giroflée jaune ⌑	wallflower
les graines	seeds
la :haie ⋄	hedge
la jacinthe	hyacinth
la jonquille	daffodil
la marguerite	daisy
les mauvaises herbes	weeds
une ombre	shadow

les fleurs poussent the flowers grow
par terre on the ground
cueillir des fleurs to pick flowers
se mettre à l'ombre to go into the shade
rester à l'ombre to remain in the shade
à l'ombre d'un arbre in the shade of a tree
la guêpe va vous piquer the wasp is going to sting you

PLANTS AND GARDENS

le lilas	lilac
le lis [lis]	lily
le muguet	lily of the valley
un œillet	carnation
un outil ◊	tool
le papillon	butterfly
le parterre ◊	border, flower bed
le pavillon ◊	summer house
le pavot	poppy
le perce-neige (pl inv)	snowdrop
le pissenlit	dandelion
le pois de senteur ▭	sweet pea
le rosier	rose bush
le sol	earth, soil
le soleil ◊, tournesol	sunflower
le tronc	trunk (of tree)
le tuyau d'arrosage	hose
le ver ◊	worm
le verger ◊	orchard

l'ajonc	gorse
un arbrisseau (pl -x)	shrub
l'arrosage	watering
le bleuet	cornflower
le chardon	thistle
le chiendent	couch grass
le désherbant	weedkiller
un églantier	wild or dog rose (bush)
l'estragon	tarragon
le genêt	broom (plant)
le genévrier	juniper
le glaïeul	gladiola
le gravier	(loose) gravel
les gravillons	(loose) gravel
le grillage	wire netting; wire fencing
le gui	mistletoe
un horticulteur	horticulturalist
un iris	iris

une orchidée	orchid
la pâquerette	daisy
la pensée ◇	pansy
la pivoine ▢	peony
la plate-bande (pl ~s~s)	flower bed
la primevère	primrose
la racine	root
la renoncule ▢	buttercup
la rocaille	rockery, rock garden
la rosée	dew
la semence	seed (*in general*)
la serre	greenhouse
la tige	stalk
la tondeuse	lawnmower
la tulipe	tulip
la violette	violet

une aubépine	hawthorn
la bouture	cutting
la capucine	nasturtium
une églantine	wild *or* dog rose
une épine	thorn
les floralies	flower show
la gentiane	gentian
la glycine	wisteria
la greffe	graft
la gueule-de-loup (pl ~s~~)	snapdragon
une horticultrice	horticulturalist
la lavande	lavender
la marjolaine	marjoram
la menthe	mint
la mousse	moss
une ortie	(stinging) nettle
la pépinière	nursery
la pervenche	periwinkle
la roseraie	rose garden
la verdure	greenery
la vigne vierge	Virginia creeper

PLANTS AND GARDENS

le jardin d'acclimatation	zoological garden
le jardin potager	kitchen *or* vegetable garden
le laurier	laurel
le laurier-rose (*pl* ~s~)	oleander
le magnolia	magnolia
le mimosa	mimosa
le myosotis	forget-me-not
le narcisse	narcissus
le nénuphar	water lily
le paysagiste ◊	landscape gardener
le rhododendron	rhododendron
le terreau	compost
le tourniquet	sprinkler
le trèfle ◊	clover
le troène	privet

en fleur in blossom
faire des boutures to take cuttings
élaguer to prune
fané(e) faded; **piquant(e)** prickly
rempoter to repot; **repiquer** to plant out

ESSENTIAL WORDS (m)

le chef d'état	head of state
le député ◇	Member of Parliament
le gouvernement ◇	government
le politicien ◇	politician
le premier ministre	Prime Minister

IMPORTANT WORDS (m)

le citoyen ◇	citizen
le dirigeant	leader (*of party, country, union*)
le fonctionnaire ◇	state employee; civil servant
le réfugié	refugee
le régime	régime
les sans-abri	the homeless
le Tiers-Monde	the Third World
le vote	vote

USEFUL WORDS (m)

l'affairisme	(political) racketeering
l'appauvrissement	impoverishment
un arrêt de travail	stoppage (*of work*)
un assisté	person receiving aid from the State
un attentat à la bombe	bomb attack
l'attentisme	wait-and-see policy
le ballottage	second ballot
le bandit	gangster, thief

de gauche/droite left-/right-wing
être partisan(e) de qch/de faire qch to be in favour of sth/of doing sth
le bilan d'une catastrophe the final toll of a disaster
le niveau de vie standard of living
mettre de l'argent de côté to save up
poser la question de confiance to ask for a vote of confidence
prendre des sanctions contre to impose sanctions on
un gouvernement fantoche a puppet government

le bipartisme	bipartisanship
le civisme	public-spiritedness
le colon	settler
le combat de rues	street fighting
le conseiller municipal	town councillor
le conservateur	Conservative
le contestataire	(anti-establishment) protester
le contribuable	taxpayer
le coût de la vie	the cost of living
le débat	discussion, debate
le dépouillement du scrutin	counting the votes
les déshérités	the underprivileged, the deprived
le discours ◇	speech
le droit d'asile	(political) asylum
l'électorat	electorate
un élu	member of parliament; elected representative
un émigrant	emigrant
un émigré	expatriate
un empereur	emperor
un empire	empire
l'état d'urgence	state of emergency
l'état de siège	state of siege
l'État-providence	welfare state
l'exode des cerveaux	brain drain
un expatrié	expatriate
le fascisme	fascism
le gauchiste	leftist
le génocide	genocide
le ghetto	ghetto
le gouverneur	governor
le grand public	general public
l'hémicycle	the benches (*in French parliament*)
un homme d'État	statesman
un homologue	counterpart, opposite number
l'hôtel Matignon	French prime minister's offices
un immigré	immigrant
l'impôt sur le revenu	income tax
l'impôt foncier	land tax

la droite	the right (wing)
l'économie	economy
la gauche	the left (wing)
les législatives	general election
la politicienne ◇	politician
la politique ◇	politics; policy

l'aide sociale	social security
la circonscription électorale	constituency
la citoyenne ◇	citizen
l'égalité	equality
la fonctionnaire	state employee; civil servant
l'inflation	inflation
la manifestation	demonstration
la nationalisation	nationalization
la réfugiée	refugee
les relations internationales	international relations
la reprise économique	economic recovery
la sécurité sociale	social security
la superpuissance	superpower

les affaires étrangères	foreign affairs
une allocation	allowance
l'allocation (de) chômage	unemployment benefit
l'allocation (de) logement	rent allowance
l'allocation de maternité	maternity benefit
les allocations familiales	child benefit

voter par procuration to vote by proxy
les pays en voie de développement developing countries
le scrutin proportionnel/majoritaire election on a proportional/majority basis
le scrutin à deux tours poll with two ballots
nationaliser to nationalize
privatiser to privatize
manifester to demonstrate

l'impôt sur la fortune	wealth tax
les impôts locaux	rates
un indépendantiste	separatist
l'inspecteur des finances	tax inspector
l'interventionnisme	interventionism
l'isoloir	polling booth
l'Élysée	official residence of the French President
le ministère de l'Intérieur	Home Office
le ministre de la Défense nationale	Defence Minister
le notable	prominent citizen
un opposant	opponent
le parlement	parliament
les partis de droite	the right-wing parties
le passeur de drogues	drug smuggler
les pays non-alignés	nonaligned countries
le percepteur	tax collector
le porte-parole (*pl inv*)	spokesperson
les pourparlers	talks, negotiations
le pouvoir d'achat	purchasing power
le prestataire	person receiving benefits
un projet de loi	(government) bill
le racket	racketeering
le rapatriement	repatriation
le rationnement	rationing
le rebondissement	new development
le recensement	census
le référendum	referendum
le régime totalitaire	totalitarian régime
le règne	reign
le remaniement ministériel	cabinet reshuffle
le renversement	overthrow (*of government*)
les rescapés	survivors
le ressortissant	national
le revenu	income
le scrutin	ballot; poll
le septennat	seven-year term (of office)
le sondage (d'opinion)	opinion poll
le statu quo	status quo

USEFUL WORDS (f) (cont)

une ambassade	embassy
l' Assemblée nationale (AN)	French National Assembly
une assistée	person receiving aid from the State
l' autarcie	self-sufficiency
l' autodétermination	self-determination
la bourgeoisie	middle classes, bourgeoisie
la citoyenneté	citizenship
la classe ouvrière	working class
la conjoncture économique	economic climate
la conseillère municipale	town councillor
la conservatrice	Conservative
la contestataire	(anti-establishment) protester
la contribuable	taxpayer
la course aux armements	arms race
la député	Member of Parliament
la dictature	dictatorship
la dirigeante	leader (of party, country, union)
la discrimination	discrimination
l' Éducation nationale	Department of Education
une élection partielle	by-election
une élue	member of parliament; elected representative
une émeute	riot
une émigrante	emigrant
l' émigration	emigration
une émigrée	expatriate
une ethnie	ethnic group
une expatriée	expatriate
la famine	famine
la fiscalité	tax system; taxation
la fonction publique	the civil service
la gauchiste	leftist
l' homologue	counterpart, opposite number
l' immigration	immigration
une immigrée	immigrant
une impératrice	empress
l' importation ◇	import
une indemnisation	indemnity, compensation
une indemnité parlementaire	MP's salary

le surarmement	massive stock of weapons
le surpeuplement	overpopulation
le sympathisant	sympathizer
le taux de mortalité	mortality rate
le téléphone rouge	hot line
le tortionnaire	torturer
le totalitarianisme	totalitarianism
le trafic d'armes	arms dealing
le trafic de drogues	drugs trafficking
le trafiquant	trafficker; dealer
le vote (à bulletin) secret	secret ballot
le vote à main levée	vote by a show of hands
le vote par correspondance	postal vote

une indemnité de logement	housing allowance
l'indépendance	independence
une indépendantiste	separatist
l'insertion sociale	(social) integration
l'insurrection	insurrection, revolt
l'investiture	nomination
la législature	term of office
la liberté syndicale	union rights
la liberté	freedom
la liberté d'opinion	freedom of thought
les libertés publiques	civil rights
les libertés individuelles	personal freedom
les mœurs	customs, habits
la Maf(f)ia	the Maf(f)ia
la motion de censure	vote of no confidence
une opposante	opponent
l'Organisation des Nations Unies (ONU)	United Nations (Organization) (UN, UNO)
l'Organisation du Traité de l'Atlantique Nord (OTAN)	North Atlantic Treaty Organization (NATO)
l'Organisation mondiale de la santé (OMS)	World Health Organization (WHO)
la pénurie	shortage
la perception	tax (collector's) office
la petite bourgeoisie	lower middle classes
la polémique	controversy
la politique étrangère/intérieure	foreign/domestic policy
la population active	working population
les présidentielles	presidential elections
la prestataire	person receiving benefits
la prise d'otages	hostage-taking
la proposition de loi	private bill
la réforme	reform
la répression	repression
la revendication	claim, demand
la ségrégation	segregation
la surpopulation	overpopulation
la sympathisante	sympathizer
la torture	torture
l'urne (électorale)	ballot box

ESSENTIAL WORDS (m)	
Allah	Allah
un athée	atheist
Bouddha	Buddha
le croyant	believer
Dieu	God
le péché	sin

IMPORTANT WORDS (m)	
un adepte	follower
le clergé	clergy
les fidèles	the faithful; the congregation

USEFUL WORDS (m)	
un abbé	priest; abbot
un ange	angel
un apôtre	apostle, disciple
un archevêque	archbishop
un autel	altar
le bénitier	font
le bouddhisme	Buddhism
le bouddhiste	Buddhist
le catholicisme	(Roman) Catholicism
le catholique	(Roman) Catholic
le chapelet	rosary
le chiromancien	palmist
le chœur	choir
le chrétien	Christian
le christianisme	Christianity
le ciel ◇	heaven
le cierge	candle
le cloître	cloister

de bon/mauvais augure of good/ill omen
M le curé Vicar
M l'abbé Father
tirer les cartes à qn to read sb's cards
le siècle des lumières Age of Enlightenment

une **athée**	atheist
la **bible**	bible
la **croyante**	believer
une **église**	church
la **religion**	religion

une **adepte**	follower
la **communion**	communion
la **confession**	confession
la **croyance**	belief
l'**Ecriture (sainte), les Ecritures**	the Scriptures
la **messe**	mass
la **mosquée**	mosque
la **Réforme**	the Reformation

une **abbaye**	abbey
une **abbesse**	abbess
l'**apothéose**	apotheosis
l'**assemblée des fidèles**	congregation
l'**aumône**	alms
une **auréole**	halo
la **basilique**	basilica
la **bouddhiste**	Buddhist
la **cathédrale**	cathedral
la **catholique**	(Roman) Catholic
la **chapelle**	chapel
la **chiromancie**	palmistry
la **chiromancienne**	palmist
la **chrétienne**	Christian
la **communiante**	communicant
la **conformiste**	conformist

faire la quête to take the collection
jeter un sort to cast a spell
se racheter to redeem o.s.
prier to pray

le communiant	communicant
le confessionnal	confessional
(pl **confessionnaux**)	
le conformisme	conformity
le conformiste	conformist
le crucifix	crucifix
le curé	parish priest
le diable	the Devil
le dieu	god
le disciple	disciple
un ecclésiastique	ecclesiastic, clergyman
l'Éden	Eden
l'égalitarisme	egalitarianism
un encensoir	censer, thurible
l'endoctrinement	indoctrination
l'enfer	hell
l'épiscopat	episcopate
l'esprit	spirit
un esthète	aesthete
l'évangile	gospel
un évêché	bishop's palace; bishopric
un évêque	bishop
le fantôme	ghost
un franc-maçon (pl ~**s**~**s**)	freemason
l'hindou	Hindu
l'hindouisme	Hinduism
l'horoscope	horoscope
l'intégrisme	fundamentalism
un intégriste	fundamentalist
Islam	Islam
le jésuite	Jesuit
Jésus-Christ	Jesus Christ
le jeûne	fast
le judaïsme	Judaism
le juif	Jew
le maléfice	evil spell
le méthodiste	Methodist
le miracle	miracle
le moine	monk, friar
le monastère	monastery

la crucifixion	crucifixion
la déesse	goddess
l'eau bénite	holy water
une esthète	aesthete
la foi	faith
la franc-maçonnerie	freemasonry
la genèse	genesis
l'hindoue	Hindu
l'hostie	host
une intégriste	fundamentalist
la juive	Jew, Jewess
la laïcité	secularity, secularism
la liberté du culte	freedom of worship
la madone	madonna
la magie	magic
la méthodiste	Methodist
la musulmane	Moslem, Muslim
la nonne	nun
la païenne	pagan, heathen
la papauté	papacy
la paroisse	parish
la paroissienne	parishioner
la philosophe	philosopher
la possédée	person possessed
la rédemption	redemption
la réincarnation	reincarnation
la religieuse ◊	nun
la réprouvée	reprobate
la revenante	ghost
la Sainte Vierge	the Blessed Virgin
la secte	sect
la sorcellerie	witchcraft
la sorcière	witch
la synagogue	synagogue
l'utopie	Utopia
une utopiste	Utopian
les vêpres	vespers
la Vierge	the Virgin
la voyance	clairvoyance
la voyante	clairvoyant

le musulman	Moslem, Muslim
l'office	service
le païen	pagan, heathen
le pape	pope
le Paradis terrestre	Garden of Eden
le paroissien	parishioner
le pasteur	minister, pastor
le pèlerin	pilgrim
le pèlerinage	pilgrimage
le penseur	thinker
le philosophe	philosopher
le possédé	person possessed
le prêcheur	preacher
le premier communiant	child making his first communion
le présage	omen
le purgatoire	purgatory
le rabbin	rabbi
le réprouvé	reprobate
le revenant	ghost
le rite	rite; ritual
le sacristain	sacristan; sexton
le Saint-Esprit	the Holy Spirit or Ghost
le sermon	sermon
le sionisme	Zionism
le sorcier	sorcerer
le sort	fate
le sortilège	(magic) spell
le tabou	taboo
le temple	temple: (protestant) church
un utopiste	Utopian
le Verbe	the Word
le vicaire	curate

ESSENTIAL WORDS (m)	
un **accident** (de la route)	(road) accident
un **agent** (de police) ◊	policeman
un **automobiliste**	motorist
l'**auto-stop**	hitch-hiking
un **auto-stoppeur** (pl ~**s**)	hitch-hiker
le **camion**	lorry, truck
le **carrefour**	crossroads
le **chauffeur** ◊ (m+f)	driver; chauffeur
le **code de la route** ▭	highway code
le **coffre** ◊	boot
le **conducteur** ▭	driver
le **cycliste** ▭	cyclist
le **deux-temps** ▭ (pl inv)	two-stroke (engine)
le(s) **dommage(s)**	damage
un **embouteillage** ▭	traffic jam
l'**embrayage** ▭	clutch; letting in the clutch
le **feu rouge** ▭	traffic lights, red light
les **feux** (de circulation)	traffic lights
le **frein** ◊ ▭	brake
le **garage** ◊	garage
le **garagiste** ▭	mechanic; garage owner
le **gas-oil** ◊ ▭	diesel (oil)
le **kilomètre**	kilometre
le **klaxon**	horn, hooter
le **lavage** ▭	(car) wash
le **litre**	litre
le **mécanicien** ◊ ▭	mechanic
le **mort** ◊	dead man
le **moteur**	engine
le **motocycliste**	motorcyclist
le **numéro** ◊	number
l'**ordinaire**	2-star petrol

faire de l'auto-stop to go hitch-hiking
déposer un auto-stoppeur to drop off a hitch-hiker
s'arrêter au feu rouge to stop at the red light
freiner brusquement to brake sharply
100 kilomètres à l'heure 100 kilometres an hour

les papiers	official papers, documents
le parking ◇	car park
le péage ⌑	toll
le permis de conduire ⌑	driving licence
le phare ◇ ⌑	headlight; headlamp
le piéton	pedestrian
le plan ◇ (de la ville)	street map
le pneu	tyre
le pompiste ⌑	petrol pump attendant
le rond-point (pl ~s~s)	roundabout
le sens unique ⌑	one-way street
le stationnement ⌑	parking
le super	4-star petrol
le voyage ◇	journey

un accélérateur	accelerator
un arrêt d'urgence	emergency stop
le blessé	casualty
le capot	bonnet
le carburateur	carburettor
le clignotant	indicator
le compteur de vitesse	speedometer
le conducteur débutant	learner driver
le contractuel	traffic warden

crever, avoir un pneu crevé to have a puncture
être à plat to have a flat tyre
sais-tu conduire une auto? can you drive a car?
on va faire une promenade en voiture we're going for a drive (in the car)
faites le plein (d'essence) fill her up please!
l'essence sans plomb unleaded petrol
la route nationale the trunk or main road
prenez la route de Lyon take the road to Lyons
perdre/retrouver sa route to lose/find one's way
c'est un voyage de 3 heures it's a 3-hour journey
allez, en route! let's go!, let's be off!
faire un créneau to reverse into a parking space
faire une déclaration d'accident to file an accident claim

ESSENTIAL WORDS (f)

une amende 📖	fine
l'assurance 📖	insurance
une auto, automobile	car
une auto-école (pl ~s)	driving school
une autoroute	motorway
une autoroute à péage 📖	toll motorway
une auto-stoppeuse (pl ~s)	hitch-hiker
la batterie ◇	battery
la caravane ◇	caravan
la carte routière	road map
la ceinture de sécurité 📖	seat belt
la circulation	traffic
la collision	collision
la crevaison	puncture
la déviation 📖	diversion
la direction ◇ 📖	direction
la distance 📖	distance
l'eau ◇	water
l'essence ◇ 📖	petrol
la frontière	border, frontier
l'huile ◇	oil
la marque 📖	make (of car)
la mort ◇	death
la panne	breakdown
la pièce de rechange	spare part
la police ◇	police
la police d'assurance	insurance policy
la pompiste 📖	petrol pump attendant
la portière	(car) door
la priorité	priority
la roue	wheel
la roue de secours 📖	spare wheel
la route ◇	road
la station-service (pl ~ s ~)	service or filling station
la vitesse ◇	speed; gear
la voiture ◇	car
la voiture de dépannage ◇	breakdown van
la zone 📖	zone, area

ON THE ROAD

IMPORTANT WORDS (m) (cont)

le démarreur	starter
le détour	detour
un essuie-glace (*pl inv*)	windscreen wiper
le lave-auto (*pl ~***s**)	car wash
le motard ⌐	motorcycle cop
le panneau (*pl* **-x**)	road sign
le parc(o)mètre	parking meter
le pare-brise (*pl inv*)	windscreen
le pare-chocs (*pl inv*)	bumper
le périphérique	ring road
le poste d'essence	filling station
le procès-verbal, P.-V. (*pl ~-***verbaux**)	fine, (parking) ticket
le rétroviseur	rear-view *or* driving mirror
le routier	long-distance lorry driver
le starter	choke
le tournant, le virage	turning, bend
le volant	steering wheel

USEFUL WORDS (m)

un accrochage	minor collision
l'alco(o)test	Breathalyser ®
l'allumage	ignition
un allume-cigare (*pl inv*)	cigar lighter
un amortisseur	shock absorber
l'antigel	antifreeze
un antivol	anti-theft device
un appui-tête (*pl inv*)	headrest

l'accident a fait 6 blessés/morts 6 people were injured/killed in the accident
il faut faire un détour we have to make a detour; **sabler** to grit
une contravention pour excès de vitesse a fine for speeding
dresser un P.-V. contre un conducteur to book a driver
"priorité à droite" "give way to the right"
"serrez à droite" "keep to the right"
"accès interdit" "no entry"
"stationnement interdit" "no parking"
"travaux" "roadworks"
"passage protégé" *road having priority status*

IMPORTANT WORDS (f)

une agglomération ◇	built-up area
une aire de services	service area
une aire de stationnement	lay-by
la bagnole ▢	(old) car, banger
la bande médiane	central reservation
la boîte de vitesses	gearbox
la bretelle d'accès *or* de raccordement ▢	access road (*to motorway*)
la caisse ◇	body, bodywork
la capote	hood
la consommation d'essence	petrol consumption
la contractuelle	traffic warden
la contravention	traffic offence
la dépanneuse	breakdown van
la file (de voitures)	line (of cars), lane
la galerie ◇	roof rack
la leçon de conduite	driving lesson
la limitation de vitesse	speed limit, speed restriction
la pédale	pedal
la plaque d'immatriculation *or* minéralogique	number plate
la pression ◇	pressure
la remorque ▢	trailer
la voie ◇	way, road; lane (*on road*)
la voie de raccordement ▢	slip road

bonne route! have a good journey!
en route nous avons vu . . . on the way we saw . . .
doubler *or* **dépasser une voiture** to overtake a car
faire demi-tour to do a U-turn
garer (la voiture) to park (the car)
je vais faire réparer la voiture I'm going to have the car fixed
d'abord on met le moteur en marche first you switch on the engine
le moteur démarre the engine starts up
la voiture démarre the car moves off
on roule we're driving along
accélérer to accelerate; **continuer** to continue
ralentir to slow down; **s'arrêter** to stop
stationner to park; to be parked

l'argus	guide to second-hand car prices
l'avertisseur	horn
le bas-côté (pl ~s)	verge
le bidon à essence	petrol can
le bonus	no-claims bonus (car insurance)
le boulevard périphérique	ring road
le cahot	jolt, bump
le carambolage	multiple crash, pile-up
le carburant	(motor) fuel
le chauffard	reckless driver
le constat d'accident	accident report
le cric	jack
le croisement	crossroads, junction
le déflecteur	quarterlight
le dégivrage	de-icing (of windscreen)
le dégivreur	de-icer
le démarrage en côte	hill start
le diesel	diesel
un embranchement	junction
un enjoliveur	hub cap
l'excès de vitesse	speeding
le fléchage	signposting
le gabarit	size (of car)
le garde-barrière (pl ~s~(s))	level crossing keeper
le gyrophare	revolving (flashing) light
le :hayon	tailgate
l'itinéraire	itinerary, route
le kilométrage	number of kilometres travelled; mileage
le lave-glace (pl ~s)	windscreen washer
le phare antibrouillard	fog lamp
le plaid	(tartan) car rug
un pont en dos-d'âne	humpback bridge
le pont suspendu	suspension bridge
le pot d'échappement	exhaust pipe
le restoroute ®	motorway restaurant
le service/camion dépannage	breakdown service/truck
le tableau (pl -x) de bord	dashboard
le toboggan	flyover
le toit ouvrant	sun roof

USEFUL WORDS (f)

l'adhérence à la route	roadholding
une artère	main road
une autoradio	car radio
la bifurcation	fork (*in road*)
la borne kilométrique	kilometre-marker
la bougie	spark(ing) plug
la garde-barrière (*pl* ~**s**-(**s**))	level crossing keeper
la glissière de sécurité	crash barrier
l'immatriculation	registration
la jante	(wheel) rim
la jauge (de niveau) d'huile	dipstick
une ornière	rut
la prévention routière	road safety
la signalisation	road signs
la veilleuse	sidelight
la vignette	(road) tax disc
la voiture de sport	sports car
la voiture d'occasion	second-hand car

---

au point mort in neutral (gear); **passer au rouge** to go through a red light
en état d'ivresse under the influence of drink
faire subir l'alco(o)test à qn to breathalyse sb
faire un appel de phares to flash one's headlights
prendre la file de droite to move into the right-hand lane
stationner en double file to double-park
une route accidentée an uneven road; **une voiture fiable** a reliable car
traction avant/arrière front-wheel/rear-wheel drive
débrayer to declutch; **dégivrer** to de-ice (*windscreen*)
dégonflé(e) flat (*tyre*); **gonfler** to inflate, blow up
reculer to reverse; **remorquer** to tow
"dépassement interdit" ''no overtaking''
couper le moteur to switch off the engine
il y a eu un accident there's been an accident
vos papiers, s'il vous plaît your identification please
aux heures d'affluence at the rush hour, at the peak period
il a eu 100 francs d'amende he got a 100-franc fine
êtes-vous assuré(e)? are you insured?; **à la frontière** at the border
n'oubliez pas de mettre vos ceintures don't forget to put on your seat belts
être *or* **tomber en panne** to break down, have a breakdown
la roue avant/arrière the front/back wheel
je suis tombé(e) en panne sèche I've run out of petrol

SCHOOL AND OFFICE EQUIPMENT

ESSENTIAL WORDS (m)

le bureau ◇	desk
le carnet ◇	notebook
le classeur	folder, file
le crayon	pencil
le livre ◇	book
le magnétophone ◇	tape recorder
un ordinateur ◇	computer
le papier ◇	paper
le stylo (à encre)	(fountain) pen
le tableau ◇ (noir)	blackboard

IMPORTANT WORDS (m)

le bic	ballpoint pen
le cahier	exercise book, jotter
le cartable	satchel
le dictionnaire	dictionary
le feutre	felt-tip pen
le pupitre	desk
le stylo à bille	ballpoint pen
le stylo feutre	felt-tip pen
le stylomine	propelling pencil
le taille-crayon(s) (*pl* ~**s**)	pencil sharpener
le torchon	duster

USEFUL WORDS (m)

un agenda ◇	diary
le bloc-notes (*pl* ~**s**~)	notepad
le buvard	blotting paper; blotter
le calepin	notebook
le calque	tracing paper
le carnet d'adresses	address book
le casier	pigeonhole
le compas	(pair of) compasses
le dossier	file
les fournitures de bureau	office supplies
les fournitures scolaires	school stationery
le magnétoscope	video (recorder)
le marqueur	marker pen

ESSENTIAL WORDS (f)

la carte ◇	map
la gomme	rubber
la règle ◇	ruler

IMPORTANT WORDS (f)

la craie	chalk
l'encre	ink
la machine à calculer	calculator
la machine à écrire	typewriter
la machine de traitement de texte ◇	word processor
la sacoche ◇	schoolbag, satchel
la serviette ◇	briefcase

USEFUL WORDS (f)

une agrafe	staple
une agrafeuse	stapler
la calculatrice	calculator
la calculette	pocket calculator
une enveloppe autocollante	self-seal envelope
une équerre	set square
la fiche intercalaire, l'intercalaire	divider
la loupe	magnifying glass
la mappemonde	globe
la microfiche	microfiche
la perforeuse	punch
la photocopieuse	(photo)copier
la rame (de papier)	ream (of paper)
la trousse (d'écolier)	pencil case

réglable adjustable

USEFUL WORDS (m) (cont)

le mémento	appointment diary
le microscope	microscope
le papier à en-tête	headed notepaper
le papier calque	tracing paper
le papier de brouillon	rough *or* scrap paper
le papier machine	typing paper
le papier quadrillé	squared paper
le plumier	pencil box
le presse-papiers (*pl inv*)	paperweight
le protège-cahier (*pl*~s)	exercise book cover
le signet	bookmark
le sous-main (*pl inv*)	desk blotter
le surligneur	highlighter (pen)
le tampon encreur	inking pad
le Tipp-Ex ®	Tipp-Ex ®

ESSENTIAL WORDS (m)

le baigneur	bather, swimmer
le bain ◇ (de mer)	bathe (*in sea*), swim
le bateau (*pl* **-x**) de pêche	fishing boat
le bikini	bikini
le bord de la mer	seaside
le château ◇ (*pl* **-x**) de sable	sandcastle
le coup de soleil	sunstroke
le crabe	crab
le fond	bottom
l'horizon	horizon
le maillot ◇ (de bain)	swimming costume *or* trunks
le mal de mer	seasickness
le matelas pneumatique	airbed, lilo
le passager ◇	passenger
le pêcheur ◇	fisherman
le pique-nique (*pl* **~s**) ▭	picnic
le pont ◇	deck (*of ship*)
le port	port, harbour
le prix du billet ◇	fare
le quai ◇	quay, quayside
le sable	sand
le slip de bain	swimming *or* bathing trunks
le télescope	telescope
le vacancier	holiday-maker

IMPORTANT WORDS (m)

l'air marin	sea air
un aviron	oar
le bac ◇	ferry(-boat)
le caillou (*pl* **-x**)	pebble
le cap [kap]	point
le coquillage	shell
le courant	current
un équipage	crew
les flots	waves
le gouvernail	rudder
le maître nageur	lifeguard
le marin ◇	sailor
le mât ◇	mast

le matelot	sailor
le naufrage	shipwreck
les naufragés	people who are shipwrecked
un océan ◇	ocean
le pavillon ◇	flag
le pédalo	pedal-boat
le phare ◇	lighthouse
le port de plaisance	marina
le radeau (pl -x)	raft
le rivage	coast, shore
le rocher	rock
le seau ◇ (pl -x)	bucket
le vaisseau (pl -x)	vessel
le vapeur ◇	steamer

USEFUL WORDS (m)

le corail (pl **coraux**)	coral
les embruns	sea spray
les estivants	summer visitors, holiday-makers
le galet	pebble
le garde-côte (pl ~**s**~(**s**))	coastguard boat
le garde-pêche (pl inv)	water bailiff; fisheries protection ship
le goéland	(sea)gull
le :hamac	hammock
le :hors-bord (pl inv)	speedboat (with outboard motor)
le lagon	lagoon
le noyé	drowned man
un oursin	sea urchin
le parasol	parasol, sunshade
le plagiste	beach attendant
le raz-de-marée (pl inv)	tidal wave
le transat	deckchair
le varech	wrack, kelp

une agence de voyages ◇	travel agent's
la brochure	brochure
la chaise longue	deckchair
la côte ◇	coast
la crème solaire	sun(tan) cream
l'eau ◇	water
une île ◇	island
les lunettes de soleil	sunglasses
la mer ◇	sea
la natation ▭	swimming
la passagère	passenger
la pierre ◇	stone, rock
la plage	beach
la promenade ◇	trip, outing; walk
la serviette ◇	towel
la traversée	crossing

IMPORTANT WORDS (f)

les algues	seaweed
une ancre	anchor
la baie ◇	bay
la barque	small boat
la bouée	buoy
la cargaison	cargo
la ceinture de sauvetage	lifebelt
la cheminée ◇	funnel

au bord de la mer at the seaside
faire un pique-nique to go for a picnic
à l'horizon on the horizon; **se bronzer** to get a tan
il a le mal de mer he is (feeling) sea-sick
nager to swim; **se noyer** to drown
regarder les brochures to look at brochures
nous allons à la côte aujourd'hui we're going to the coast today
je vais me baigner I'm going for a swim
plonger dans l'eau to dive into the water; **flotter** to float
au fond de la mer at the bottom of the sea
à la plage on the beach; to the beach
faire la traversée en bateau to cross over by boat

la croisière	cruise
l'écume	foam
une embouchure	mouth (*of river*)
une épave	wreck
la falaise ◇	cliff
la flotte	fleet
une insolation	(touch of) sunstroke
la jetée	pier, jetty
les jumelles ◇	binoculars
la marée	tide
la marine	navy
la mouette	seagull
la passerelle	gangway; bridge (*of ship*)
la pelle ◇	spade
la rame	oar
la vague	wave
la voile ◇	sail; sailing

USEFUL WORDS (f)

les amarres	moorings
la crique	creek, inlet
la dune	dune
la :houle	swell
la lagune	lagoon
la longue-vue (*pl* ~**s**~**s**)	telescope
la morte-saison (*pl* ~**s**~**s**)	slack *or* off season
la noyée	drowned woman
la rabane	raffia (matting)
la station balnéaire	seaside resort

se promener au bord des falaises to walk along the edge of the cliffs
j'ai eu une insolation I had a touch of sunstroke
à marée basse/haute at low/high tide; **faire de la voile** to go sailing
le flux et le reflux the ebb and flow
"baignade interdite" ''no bathing''

ESSENTIAL WORDS (m)

l'argent ⬦	money
un article	article
un ascenseur ▭	lift
le boucher ▭	butcher
le boulanger ▭	baker
le bureau (*pl* -**x**) de poste	post office
le bureau de tabac	tobacconist's (shop)
le cabinet de consultation	surgery
le cadeau (*pl* -**x**)	present
le café ⬦	café
le café-tabac	café (*which sells tobacco*)
le centime	centime
le centre commercial ▭	shopping centre
le charcutier ▭	pork butcher
le chèque ⬦	cheque
le client ⬦	customer, client
le coiffeur ⬦	hairdresser; barber
le commerçant ⬦ ▭	tradesman
le commerce ⬦	trade, business
le comptoir ▭	counter
le cordonnier ▭	cobbler
un employé ⬦ ▭	employee; clerk
un épicier ▭	grocer
un escalier roulant ⬦ ▭	escalator
un étage ⬦	floor
le franc	franc
le gérant ⬦ ▭	manager
le grand magasin	department store
l'hypermarché ▭	hypermarket
le libre-service ▭ (*pl* ~**s**~**s**)	self-service store *or* restaurant
le magasin	shop
le magasin de chaussures	shoe shop
le marchand de fruits ▭	fruiterer
le marchand de légumes ▭	greengrocer
le marché ⬦	market; deal
le pâtissier	confectioner, pastrycook
le portefeuille ⬦	wallet
le porte-monnaie ⬦ (*pl inv*)	purse
le prix ⬦	price
le rayon ⬦ ▭	department, counter

SHOPPING

ESSENTIAL WORDS (m) (cont)

le reçu	receipt
le rez-de-chaussée (*pl inv*)	ground level, ground floor
les soldes 🗔	sales; bargains
le sous-sol 🗔 (*pl ~s*)	basement
le souvenir	souvenir
le supermarché	supermarket
le tabac ◇	tobacconist's
le vendeur ◇ 🗔	shop assistant, salesman

IMPORTANT WORDS (m)

un agent de tourisme	travel agent
un agent immobilier	estate agent
le bibliothécaire	librarian
le bijoutier	jeweller
le bon	form, coupon
le bookmaker	bookmaker
le coloris	colour
le confiseur	confectioner
le débit de fritures	fish-and-chip shop
le débit de tabac	tobacconist's
le disquaire	record-dealer
l'horloger	watchmaker
le libraire	bookseller
le mannequin ◇	dummy, model
le marchand de biens	estate agent
le marchand de journaux	newsagent
le marchand de nouveautés	draper
le marchand de poissons	fishmonger
le marchand des quatre saisons	barrow-boy, costermonger
un opticien ◇	optician
le produit	product; (*pl*) produce
le pub	pub
le quincaillier	ironmonger
le tailleur ◇	tailor
le vidéoclub	video shop
le zinc	counter (*of bar or pub*)

ça fait combien? how much does that come to?
je l'ai payé(e) 5 francs I paid 5 francs for it

ESSENTIAL WORDS (f)

l'addition ◇	bill
une agence de voyages ◇	travel agent's
une alimentation ▭	food store
la banque ◇	bank
la bibliothèque ◇	library
la boucherie	butcher's (shop)
la boulangerie	baker's (shop)
la boutique ◇ ▭	small shop
la caisse ◇ ▭	till; cash desk; check-out
la charcuterie ▭	pork butcher's
la cliente ◇	customer, client
la cordonnerie	cobbler's
la crémerie ▭	dairy
une employée ◇ ▭	employee
une épicerie	grocer's (shop)
une erreur ◇	mistake, error
la laverie automatique	launderette
la librairie	bookshop
la liste	list
la parfumerie ▭	perfume shop/counter/department
la pâtisserie ◇	cake shop, confectioner's
la (petite) monnaie ▭	(small) change
la pharmacie ◇	chemist's (shop)
la pointure ▭	(shoe) size
la poste ◇	post office
la promotion ▭	special offer
la réclamation ▭	complaint
la réduction ◇	reduction
la saison des soldes	sales-time
la taille ◇	size
la vendeuse ▭	shop assistant, salesgirl
la vitrine	shop window

acheter/vendre qch to buy/sell sth
il a envie d'acheter une voiture/de vendre sa voiture he would like to buy a car/to sell his car
quel est le prix de ce manteau? what is the price of this coat?
ça coûte combien? how much does this cost?

USEFUL WORDS (m)

un achat	purchase
un acheteur	purchaser
le bazar	general store
le bouquiniste	second-hand bookseller (*especially along the Seine in Paris*)
le brocanteur	secondhand (furniture) dealer
le buraliste	tobacconist
le caddie	(supermarket) trolley
le chariot ◊	trolley
le chausseur	footwear specialist, shoemaker
le chéquier ◊	cheque book
le coiffeur ◊	hairdresser
les comestibles	(fine) foods, delicatessen
le commerçant ◊	shopkeeper, trader
le commis	shop assistant
le détaillant	retailer
le distributeur automatique	vending machine
le droguiste	keeper of a hardware shop
un échantillon	sample
l'emballage	packaging; wrapping
un escompte	discount
un étal	stall
un étalage	display
le fourrier	furrier
le gérant ◊	manager
le grossiste	wholesaler
le joaillier	jeweller
le marchand de journaux	newsagent
le mercier	haberdasher
un orfèvre	goldsmith, silversmith
le paquet-cadeau (*pl* ~**s**~**x**)	gift-wrapped parcel
le poissonnier	fishmonger
le pressing	dry-cleaner's
le rabais	reduction, discount
le salon d'essayage	fitting room
le service après-vente	after-sales service
le teinturier	dry cleaner

IMPORTANT WORDS (f)

une agence immobilière ◊	estate agent's
la bijouterie	jeweller's (shop)
la blanchisserie	laundry, dry cleaner's
la boutique d'animaux ◊	pet shop
la caisse d'épargne	savings bank
les commissions	shopping
la compagnie	company
la compagnie d'assurance	insurance company
la confiserie	sweetshop, confectioner's
une course ◊	errand
les courses	shopping
la devanture	shop window; display
la droguerie	dispensing chemist's
une encolure	collar size
l'horlogerie	watchmaker's
la laiterie	dairy
la maison de commerce	firm
la maison de couture	fashion house
les marchandises	goods, wares
la papeterie	stationer's
la queue ◊ [kø]	queue
la quincaillerie	ironmonger's, hardware shop
la société d'assurance	insurance company
la société de crédit immobilier	building society
la succursale	branch
la teinturerie	dry-cleaner's
la vente ◊	sale; selling; sales

je ne fais que regarder I'm just looking
c'est trop cher it's too expensive
quelque chose de moins cher something cheaper
c'est bon marché it's (very) cheap
c'est mieux marché it's cheaper
"payez à la caisse" "pay at the cash desk"
j'ai trop dépensé I've spent too much money
c'est pour offrir? is it for a present? (*i.e. would you like it gift-wrapped?*)
avec ça? anything else?
S.A. (société anonyme) Ltd.
S.A.R.L. (société à responsabilité limitée) limited liability company
et Cie & Co.

une antiquité	antique
les arrhes ◊	deposit
l'arrière-boutique (pl~s)	back shop
la bouchère	(woman) butcher, butcher's wife
la boulangère	(woman) baker, baker's wife
la boulangerie-pâtisserie (pl~s~s)	baker's and confectioner's (shop)
la bouquiniste	second-hand bookseller (*especially along the Seine in Paris*)
la braderie	clearance sale, street sale
la brocante	second-hand goods
la brocanteuse	second-hand (furniture) dealer
la buraliste	tobacconist
la clientèle	customers, clientèle
la coiffeuse ◊	hairdresser
la démarque	mark-down
la détaillante	retailer
la droguiste	keeper of a hardware shop
une étiquette	label
la file d'attente	queue
la friperie	second-hand clothes shop
la gérante	manageress
la grande surface	hypermarket, superstore
les :halles	central food market
l'herboristerie	herbalist's shop
la librairie-papeterie (pl~s~s)	bookseller's and stationer's
la liquidation	clearance (sale)
la marchande de journaux	newsagent
la maroquinerie	leather shop
la mercerie	haberdasher's shop

verser un acompte to pay a deposit
vêtement de confection ready-to-wear garment
"baisse sur la viande" "meat prices down"

USEFUL WORDS (f) (cont)

la **mercière**	haberdasher
la **nocturne**	late opening
la **poissonnerie**	fishmonger's
la **poissonnière**	fishmonger
les **primeurs**	early fruit and vegetables
les **réclamations**	complaints department
la **réserve**	storeroom
la **teinturière**	dry cleaner
la **vente de charité**	charity sale

chez le boucher/le boulanger at the butcher's/baker's
il doit y avoir une erreur there must be some mistake
faire les courses to go shopping
acheter qch à la brocante to buy sth at the flea market
acheter à crédit to buy on credit
article en réclame special offer
le rapport qualité-prix value (for money)
livraison à domicile home delivery
magasin de farces et attrapes joke (and novelty) shop
payer en trois versements to pay in three instalments
"en vente ici" ''on sale here''
"maison à vendre" ''house for sale''
"appartement à louer" ''flat to rent''
"souris à donner" ''mice free to good home''
une voiture d'occasion a second-hand car

SOME SOUNDS

le battement	banging; thud; beating; flapping
le borborygme	rumble, rumbling noise
le boucan	din, racket
le boum	bang
le bourdonnement	buzzing; buzz
le braillement	bawling; yelling
le bruissement	rustle, rustling
le bruit	sound, noise
le chahut	uproar, rumpus
la clameur	clamour
le clapotement	lap(ping)
le clapotis	lap(ping)
la claque	slap
le claquement	banging, slamming
le cliquetis	jingle, clink
le cognement	banging; knocking
le crachotement	crackling (*of a radio*)
le craquement	crack, snap; creak
le crépitement	sputtering, spluttering; crackling
le cri	cry; shout; scream
le crissement	crunch(ing); rustle, rustling; screech(ing)
le déclic	click
la détonation	bang
un écho	echo
un éclat de rire	burst of laughter
les éclats de voix	shouts
les flonflons	blare
le fracas	din; crash
la friture	crackle, crackling (*of radio*)
le frottement	rubbing, scraping
le gargarisme	gargle
le gargouillis	gurgling, rumbling
le gazouillis	chirp
le geignement	groaning, moaning
le gémissement	groaning, moaning
le glas	knell, toll
le glouglou	gurgling
le gloussement	chuckle
le grattement	scratching (noise)

SOME SOUNDS (cont)

le grésillement	sizzling; crackling
le grincement	grating (noise); creaking (noise)
le grondement	rumble, growl
l'hululement	hooting, screeching
le :hurlement	howling, howl; yelling, yell
le martèlement	hammering
le miaou	miaow
le miaulement	mewing
le murmure	murmur
la plainte	moan, groan
le raclement	scraping (noise)
le râle	groan
le ronflement	snore, snoring; hum(ming)
le ronronnement	purr(ing); hum(ming)
le sifflement	whistle, whistling
le soupir	sigh
le tapage	din, uproar
le tic-tac (*pl inv*)	tick-tock, ticking
le tintement	ringing; chiming
le vacarme	row, din
le vagissement	cry, wail
les vociférations	cries of rage, screams
le vrombissement	humming

résonner to reverberate, resound
retentir to ring out

le badminton	badminton
le ballon ◇	(foot)ball
le basket(ball)	basketball
le billard	billiards
le but ◇	goal
le champion	champion
le championnat	championship
le cricket	cricket
le cyclisme ◇ ▭	cycling
le football	football (*game*)
le gardien de but	goalkeeper
le golf	golf
le :hockey	hockey
le jeu ◇ (*pl* **-x**)	game; play
le joueur	player
le maillot ◇	(football) jersey
le match (*pl* matches)	game; match
le netball	netball
le résultat	result
le rugby	rugby
le ski	skiing; ski
le sport	sport
le stade	stadium
le tennis	tennis; tennis court
le terrain ◇ (de sports)	ground; pitch; course
le Tour de France ◇	Tour de France (*cycle race*)
le volley-ball (*pl* ~**s**)	volleyball

jouer au football/au tennis *etc* to play football/tennis *etc*
marquer un but/un point to score a goal/a point
marquer les points to keep the score
le champion du monde the world champion
gagner/perdre un match to win/lose a match
j'ai gagné/perdu! I won/lost!
premier au classement général first overall
prendre son/de l'élancement to take a run up, gather speed
quarts de finale quarter finals
simple messieurs/dames men's/ladies singles
sponsoriser to sponsor

la boule	bowl; billiard ball
les boules	bowls
la championne	champion
les courses de chevaux	horse-racing
la défense ◇	defence
une équipe	team
l'équitation	horse-riding
la gymnastique	gymnastics
la joueuse	player
la natation ▭	swimming
la partie ◇	game
la pêche ◇	fishing
la piscine ◇	swimming pool
la piste ◇	ski slope; track
la planche à voile	windsurfing; windsurfer (*board*)
la promenade ◇	walk
la rencontre ◇	match
la réunion	meeting
la voile ◇	sailing

une adversaire	opponent
la balle	(*tennis etc*) ball; bullet
la boxe	boxing
la canne ◇	golf club
la chasse	hunting

faire match nul to draw (*in a match*)
mon sport préféré my favourite sport
courir to run; **sauter** to jump; **lancer, jeter** to throw
battre qn to beat sb; **s'entraîner** to train
mener to be in the lead
je suis un supporter du Liverpool I support Liverpool
une partie de tennis a game of tennis
il fait partie d'un club he belongs to a club
aller à la pêche to go fishing
aller à la piscine to go to the swimming pool
sais-tu nager? can you swim?

un **adversaire**	opponent
l'**alpinisme**	mountaineering
un **arbitre**	referee; (*tennis*) umpire
l'**athlétisme**	athletics
le **canotage**	rowing
le **catch**	wrestling
le **champ de course**	race course
le **chronomètre**	stopwatch
le **chronométreur**	timekeeper
le **débutant**	beginner
le **détenteur (du titre)**	(title-)holder
un **entraîneur**	trainer, coach
le **filet** ◇	net
le **footing**	jogging
le **gymnase**	gymnasium, gym
l'**hippisme**	horse-racing; horse-riding
le **javelot**	javelin
le **patin (à roulettes)**	(roller) skate
le **rallye (automobile)**	(car) rally
le **saut en hauteur**	high jump
le **saut en longueur**	long jump
le **score**	score
le **spectateur**	spectator
le **squash**	squash
le **tir**	shooting
le **tir à l'arc**	archery
le **toboggan**	toboggan; water slide, flume
le **vol libre**	hang-gliding

un **ailier**	winger
l'**arbitrage**	refereeing
un **athlète**	athlete
l'**avant-centre** (*pl* ~**s**)	centre-forward
le **bâton de ski**	ski stick
le **benjamin** ◇	under-13
le **classement**	placing
le **coéquipier**	team mate
le **concurrent** ◇	competitor

IMPORTANT WORDS (f) (cont)

la coupe	cup
la course ◊	running; racing; race
la débutante	beginner
la détentrice du titre	(title-)holder
une éliminatoire	heat
l'escrime	fencing
une étape	stage; stopping point
la finale	final
la gagnante	winner
la luge	sledge; sledging
la lutte ◊	wrestling
la lutte à la corde	tug-of-war
la mêlée	scrum
la mi-temps (*pl inv*)	half-time
une paire de tennis	pair of tennis *or* gym shoes
la patinoire	ice rink, skating rink
la perdante	loser
la première mi-temps	the first half
la prolongation	extra time
la raquette	(tennis) racket
la réunion hippique	race meeting
la spectatrice	spectator
la station de sports d'hiver	winter sports resort
la touche ◊	touch
la tribune	stand

faire une promenade en vélo to go for a ride on one's bike
faire de la voile to go sailing
faire du footing/de l'alpinisme to go jogging/climbing
16èmes/8èmes de finale 1st/2nd round (*in 5-round knock-out competition*)
c'est l'égalisation they've scored the equalizer
faire des abdominaux to do exercises for the stomach muscles
faire des haltères to do weightlifting
faire un revers to play a backhand shot
faire la roue to do a cartwheel
gagner par forfait to win by default
nage libre freestyle (*of swimming*)
nager la brasse to swim breast-stroke

USEFUL WORDS (m) (cont)

le coureur	runner
le coureur automobile	racing driver
le coureur cycliste	racing cyclist
le court de tennis	tennis court
le crawl [krol]	crawl
le culturisme	body-building
le culturiste	body-builder
le dopage	doping
le dopant	dope
le dos crawlé	backstroke
le dossard	number (*worn by competitor*)
l'échauffement	warm-up
l'entraînement	training
un équipier	team member
les exercices d'assouplissement	limbering up exercises
le fart	(ski) wax
le fondeur	long-distance skier
le footballeur	football player
les gradins	terracing
le grand écart	splits
le grimpeur	climber
le gymnaste	gymnast
le :handball	handball
l'hippodrome	racecourse
le :hors-piste(s)	cross-country (skiing)
les Jeux olympiques (JO)	Olympic Games
le judo	judo
le justaucorps (*pl inv*)	leotard
le karaté	karate
le kayak	kayak
le lancer du poids	putting the shot
le lutteur	wrestler
le maître nageur ◇	lifeguard
le manège	riding school
le manager	manager
le marathon	marathon
le nageur	swimmer
le parrainage	sponsorship
le patin à glace	ice skate
le patinage artistique	figure skating

une **athlète**	athlete
la **benjamine**	under-13
la **brasse**	breast-stroke
la **brasse papillon**	butterfly(-stroke)
la **combinaison de plongée**	wet suit
la **compétition**	event
la **concurrente**	competitor
la **coureuse**	runner
la **culturiste**	body-builder
la **demi-finale** (*pl* ~**s**)	semifinal
une **éliminatoire**	heat
l'**endurance**	endurance
une **épreuve sportive**	sports event
une **équipière**	team member
l'**escalade**	climbing
la **fondeuse**	long-distance skier
la **footballeuse**	football player
la **genouillère**	kneepad
la **grimpeuse**	climber
la **gymnaste**	gymnast
les **jambières**	shin pads
la **ligue**	league
la **lutteuse**	wrestler
la **nageuse**	swimmer
la **palme**	flipper (*for swimming*)
la **patineuse**	skater
la **planchiste**	windsurfer (*person*)
la **plongée**	diving
les **régates**	regatta
la **remontée mécanique**	ski lift
une **séance d'aérobic**	aerobics class
la **skieuse**	skier
la **volleyeuse**	volleyball player
la **voltige**	acrobatics

USEFUL WORDS (m) (cont)

le patinage de vitesse	speed skating
le patineur	skater
le penalty (pl **penalties**)	penalty (kick)
le perchiste	pole vaulter
le pilote de course	racing driver
le ping-pong	table tennis
le piolet	ice axe
le planchiste	windsurfer (*person*)
le plongeoir	diving board
le plongeon	dive
le plongeur	diver
le pronostic	forecast
le record	record
le remonte-pente (pl ~**s**)	ski tow
le saut à la perche	pole vaulting
le saut périlleux	somersault
le ski de fond	cross-country skiing
le ski de piste	downhill skiing
le ski nautique	water skiing
le skieur	skier
le sponsor	sponsor
les sports nautiques	water sports
le téléski	ski lift, ski tow
le tennisman (pl **tennismen**)	tennis player
le vainqueur	winner
le volleyeur	volleyball player
le yoga	yoga

ESSENTIAL WORDS (m)

un acteur ▢	actor
le balcon ◇	dress circle
le ballet ▢	ballet
le billet ◇	ticket
le cinéma ◇	cinema
le cirque ▢	circus
le clown ▢	clown
le comédien ▢	actor; comedian
le concert ◇	concert
le costume ◇	costume
un entracte ▢	interval
l'espionnage ▢	spying
le film	film
le guichet ◇ ▢	box office
le jeu ◇ ▢	acting
le maquillage ▢	make-up
un opéra	opera
un orchestre	orchestra; (seat in the) stalls
le pourboire ◇ ▢	tip
le programme ◇	programme (*leaflet*)
le public	audience
le rideau (*pl* ~**x**)	curtain
le sous-titre ▢ (*pl* ~**s**)	sub-title
le spectacle	show
le théâtre ◇	theatre
le ticket ▢	ticket
le titre ▢	title
le western ▢	western

IMPORTANT WORDS (m)

les applaudissements	applause
un auditoire	audience
le cercle dramatique	dramatic society
le décor ◇	scenery
le dramaturge	playwright, dramatist
un écran	screen
le foyer	foyer
le metteur en scène	producer
le parterre ◇	stalls

269

IMPORTANT WORDS (m) (cont)

le personnage	character, person (*in play*)
le poulailler ◇	the "gods"
le producteur	(film) producer
le projecteur	spotlight
le réalisateur	director
le régisseur	stage manager
le rôle	role, part
le scénario	script
le souffleur	prompter
le spectateur	member of the audience
le texte	text; lines
le vestiaire	cloakroom

USEFUL WORDS (m)

un accessoire	prop
un accessoiriste	property man
un acte	act
un animateur ◇	animator
un aparté	aside
le bouffon	clown; jester
le bruitage	sound effects
le cadreur	cameraman
le cascadeur	stuntman
le chef-d'œuvre (*pl* ~**s**~)	masterpiece
le cinéaste	film-maker
le cinéma muet	silent cinema
le cinéphile	film buff
le comique	comedian
le court métrage	short film
le danseur	ballet dancer
le doublage	dubbing
un éclairagiste	lighting engineer
un entrechat	leap (*in ballet*)
les effets spéciaux	special effects
le fakir	wizard
le figurant	walk-on; extra

ESSENTIAL WORDS (f)

une **actrice** 🕮	actress
une **affiche** ◇	notice; poster
l'**ambiance** 🕮	atmosphere
la **comédie**	comedy
la **critique**	review; the critics
une **entrée** ◇	entrance
la **guerre** 🕮	war
la **location** ◇ 🕮	booking; box office
la **musique** ◇	music
une **ouvreuse**	usherette
la **pièce** ◇ **(de théâtre)** 🕮	play
la **place** ◇	seat
la **réduction** ◇	reduction
la **salle** ◇ 🕮	house; audience
la **séance** 🕮	performance; showing
la **sortie** ◇	exit, way out
la **vedette** ◇ (m+f)	(film) star

IMPORTANT WORDS (f)

la **corbeille** ◇	circle
les **coulisses**	wings
la **distribution** ◇	cast (on programme)
une **estrade**	platform
la **farce**	farce
la **fosse (d'orchestre)**	(orchestra) pit
une **intrigue**	plot
les **jumelles** ◇ **de théâtre**	opera glasses
la **loge** ◇	box
la **mise en scène**	production
la **pièce à sensation**	thriller
la **rampe**	footlights
la **répétition**	rehearsal
la **répétition générale**	dress rehearsal

aller au théâtre/au cinéma to go to the theatre/to the cinema
acheter un ticket to buy a ticket
réserver une place to book a seat
un fauteuil d'orchestre a seat in the stalls

le film d'épouvante	horror film
le funambule	tightrope walker
le générique	credits, credit titles
le guignol	Punch and Judy show
un illusionniste	conjuror
un imitateur	impersonator
le jongleur	juggler
le long métrage	feature film
le machiniste	scene shifter, stagehand
le magicien	magician
le maquilleur	make-up artist
le polichinelle	Punch
le rappel	curtain call
le sketch (pl ~es)	sketch
le spectacle de variétés	variety show
le strapontin	jump or foldaway seat
le théâtre lyrique	opera house (for light opera)
le tournage	shooting
le trac	stage fright
le trapèze	trapeze
le trapéziste	trapeze artist
le truquage	special effects
le vaudeville	vaudeville, light comedy
le ventriloque	ventriloquist

pendant l'entracte during the interval
offrir un pourboire à l'ouvreuse to give the usherette a tip
entrer sur scène to come on stage
jouer le rôle de to play the part of

IMPORTANT WORDS (f) (cont)

la représentation	performance
la scène	stage; scene
la tragédie	tragedy

USEFUL WORDS (f)

une accessoiriste	property woman
une adaptation	adaptation
une animatrice	animator
l'apothéose	grand finale
l'assistance	audience
une audience	audience
une audition	audition
une avant-première (pl ~s)	preview
la ballerine	ballet dancer
la bande-annonce (pl ~s~s)	trailer
la bande-son	soundtrack
la caméra	camera
la cantatrice	(opera) singer
la cascadeuse	stuntwoman
la cinéaste	film-maker
la cinémathèque	film archives or library
la cinéphile	film buff
les claquettes	tap-dancing
la comédie lyrique	comic opera

mon acteur préféré/mon actrice préférée my favourite actor/actress
jouer to play; **danser** to dance; **chanter** to sing
il a joué le rôle de Rambo he played the part of Rambo
tourner un film to shoot a film
"prochaine séance: 9 heures" ''next showing: 9 o'clock''
"version originale" ''in the original language''
"sous-titré" ''with subtitles''
attendre qn à l'entrée/à la sortie to wait for sb at the entrance/at the exit
l'auditoire applaudit the audience applauds
bis! encore!; **bravo!** bravo!, well done!
faire salle comble to have a full house
film passant en exclusivité à film showing only at
un film classé X X film, 18 film

la comédie musicale	musical
la danseuse	ballet dancer
la doublure ◇	understudy; stuntman
une éclairagiste	lighting engineer
une épopée	epic
la figurante	walk-on; extra
la figuration	walk-on parts; extras
l'habilleuse	dresser
les :huées	boos
une illusionniste	conjuror
une imitatrice	impersonator
l'issue de secours	emergency exit
la jongleuse	juggler
la lorgnette	opera glasses
la magicienne	magician
la magie	magic
la maquilleuse	make-up artist
la marionnette	puppet
la mime	mime
une opérette	operetta, light opera
la pantomime	mime show
la réplique	line
la superproduction	spectacular
la tête d'affiche	top of the bill
la trapéziste	trapeze artist
la troupe de théatre	theatrical company
la valse	waltz

ESSENTIAL WORDS (m)

un an	year
un après-midi (*pl inv*)	afternoon
l'avenir ◊	future
un instant	moment
le jour	day
le lendemain	the next day, the day after
le matin	morning
le midi	mid-day, noon
le minuit	midnight
le mois	month
le moment	moment
le quart d'heure	quarter of an hour
le retard	delay; lateness
le réveil, réveille-matin ◊ (*pl inv*)	alarm clock
le siècle	century; age
le soir ◊	evening
le surlendemain	two days later, the day after next
le temps ◊	time
le week-end (*pl* ~s)	weekend

à midi at mid-day, at noon
à minuit at midnight
aujourd'hui today
demain tomorrow
hier yesterday
il a 22 ans he is 22 (years old)
j'ai passé l'après-midi à ranger ma chambre I spent the afternoon tidying up my room
il y a 2 jours 2 days ago
dans 2 jours in 2 days, in 2 days' time
huit jours a week; **quinze jours** a fortnight
tous les jours every day
quel jour sommes-nous? what day is it?
c'est le combien?, le combien sommes-nous? what's the date?
en ce moment at the moment, at present, just now
3 heures moins le quart a quarter to 3
3 heures et quart a quarter past 3
au 20ème siècle in the 20th century
hier soir last night, yesterday evening

TIME

IMPORTANT WORDS (m)

le cadran ✧	face (*of clock, etc*), dial
le calendrier	calendar
le chronomètre	stopwatch
le futur	future; the future tense
un intervalle	interval (*of time*)
le passé	the past; the past tense
le présent	present (time); present tense

USEFUL WORDS (m)

l'après-guerre	post-war years
le décalage horaire	time difference (*between time zones*)
l'équinoxe	equinox
le fuseau horaire	time zone
le millénaire	millennium
le sablier ✧	hourglass

le jour férié public holiday, bank holiday
le jour ouvrable week-day
par un jour de pluie on a rainy day, one rainy day
au lever du jour at dawn, at daybreak
le lendemain matin/soir the following morning/evening
à présent at present, now; nowadays
vous êtes en retard you are late
cette montre avance/retarde this watch is fast/slow
le cours du soir evening class
il passe tout son temps à travailler he spends all his time working
arriver à temps, arriver à l'heure to arrive on time
pour combien de temps ...? how long ...?
avancer/retarder l'horloge to put the clock(s) forward/back
faire la grasse matinée to have a long lie, have a lie-in
d'une minute à l'autre any minute now

ESSENTIAL WORDS (f)

une année	a (whole) year
une après-midi (*pl inv*)	a (whole) afternoon
une demi-heure (*pl ~***s**)	half an hour, a half hour
la fois	time, occasion
l'heure	time (*in general*)
une heure	hour
l'horloge	(large) clock
la journée ◇	(whole) day; daytime
la matinée	(whole) morning
la minute	minute
la montre ◇	watch
la nuit ◇	night
la pendule	clock
la quinzaine	fortnight
la seconde	second
la semaine	week
la soirée	the (whole) evening
la veille	the day before, the eve

l'année dernière/prochaine last/next year
dans une demi-heure in half an hour
une fois/deux fois/trois fois once/twice/three times
plusieurs fois several times
3 fois par an 3 times a year
9 fois sur 10 9 times out of 10
il était une fois . . ., il y avait une fois . . . once upon a time there was . . .
10 à la fois 10 at one time, 10 at the same time
quelle heure est-il? what time is it?
avez-vous l'heure (exacte *or* **juste)?** have you got the (right) time?
il est 6 heures/6 heures moins 10/6 heures et demie it is 6 o'clock/10 to 6/half
  past 6
tout à l'heure (*past*) a short while ago; (*future*) soon, shortly
tôt, de bonne heure early; **tard** late
cette nuit (*already past*) last night; (*still to come*) tonight
après-demain the day after tomorrow
avant-hier the day before yesterday
à l'avenir in (the) future
être en retard to be late
le jour de congé day off, holiday

TIME

une aiguille ◇	hand (*of clock etc*)
une année bissextile	leap year
l'avant-veille (*pl* ~**s**)	two days before *or* previously
la décennie	decade
une époque	epoch; (*particular*) time
une horloge normande	grandfather clock
la pendule à coucou	cuckoo clock

l'aurore	dawn
la décade	(period of) ten days
la demi-journée (*pl* ~**s**)	half a day, a half-day
l'enfance	childhood
une ère	era
la pénombre	half-light
la trotteuse	second hand (*of clock*)

aujourd'hui en huit a week today
le veille de Noël (on) Christmas Eve
la veille au soir the previous evening, the night before
à cette époque(-là) at that time, in those days
à heure fixe at a set time
à la tombée de la nuit at nightfall
dans le sens des aiguilles d'une montre clockwise
dans le sens invers des aiguilles d'une montre anticlockwise
en semaine during the week, on weekdays
faire le pont to take the extra day (off), make a long weekend
il fait grand jour it is broad daylight
les heures de bureau office hours
les heures creuses off-peak periods
vingt-quatre heures sur vingt-quatre twenty-four hours a day

ESSENTIAL WORDS (m)

un atelier	workshop
le bricolage	D.I.Y., do-it-yourself
le bricoleur	home handyman
le machin	thing, contraption
un ouvre-boîte(s) ⬦ (pl **ouvre-boîtes**)	tin opener
le tire-bouchon (pl ~**s**)	corkscrew

IMPORTANT WORDS (m)

le cadenas	padlock
le chantier	construction site
le ciseau (pl -**x**)	chisel
les ciseaux	scissors
le clou	nail
l'échafaudage	scaffolding
un élastique	rubber band, elastic band
un escabeau (pl -**x**)	stepladder, pair of steps
le fil de fer (barbelé)	(barbed) wire
le foret	drill
le marteau (pl -**x**)	hammer
le marteau-piqueur	pneumatic drill
un outil ⬦	tool
le pic ⬦	pick, pickaxe
le pinceau (pl -**x**)	paintbrush
le ressort	spring
le scotch	sellotape ®, adhesive tape
le tournevis	screwdriver

USEFUL WORDS (m)

un aimant	magnet
le boulon	bolt
le canif	penknife

faire du bricolage to do odd jobs
enfoncer un clou to hammer in a nail
"attention à la peinture!", "peinture fraîche" ''wet paint''
peindre to paint; **tapisser** to wallpaper
"chantier interdit" ''construction site: keep out''

USEFUL WORDS (m) (cont)

le chalumeau (*pl* -**x**)	blowlamp
le chausse-pied (*pl* ~**s**)	shoehorn
le coupe-papier (*pl inv*)	paper knife
le crochet	hook
un écrou	nut
un entonnoir	funnel
un établi	(work) bench
un étau (*pl* -**x**)	vice
le loquet	latch
le rabot	plane
le râteau (*pl* -**x**)	rake
le soufflet	bellows
le tendeur	wire strainer

ESSENTIAL WORDS (f)

la clé, clef ◇	key
la corde ◇	rope
la machine	machine
la serrure ▭	lock

IMPORTANT WORDS (f)

une aiguille ◇	needle
la bêche	spade
la boîte à outils	toolbox
la boîte à ouvrage	workbox
la clef anglaise	spanner
la colle ◇	glue
une échelle ◇	ladder
la fourche	(garden) fork
la lime	file
la pelle ◇	shovel
la perceuse	drill
la pile	battery
les pinces	pliers
la pioche	pick, pickaxe
la planche	plank
la punaise ◇	drawing pin, thumbtack
la scie	saw
la vis [vis]	screw

USEFUL WORDS (f)

la boussole	compass
la chignole	drill
les cisailles	shears
une enclume	anvil

utile useful; **inutile** useless
pratique handy
casser to break; **couper** to cut; **réparer** to mend
fermer à clé to lock
fixer avec une vis to screw (in); **dévisser** to unscrew
une épingle de nourrice *or* **de sûreté** safety pin; nappy pin

une épingle	pin
la :hache	axe
la :hachette	hatchet
la machine-outil (pl ~s~s)	machine-tool
la manivelle	crank
la pince-monseigneur (pl ~s~)	crowbar
la ponceuse	sander
les tenailles	pliers, pincers
la torche	torch
la tronçonneuse	chain saw
la trousse à outils	toolkit
la truelle	trowel
la ventouse	plunger
la vrille	gimlet

ESSENTIAL WORDS (m)

un **agent** (de police) ◇	policeman
un **arrêt** (de bus)	bus stop
le **bâtiment** ◇	building
le **bureau** ◇ (*pl* -**x**)	office
le **bureau** ◇ (*pl* -**x**) **de poste** ▭	post office
le **carnet** ◇ (de tickets)	book of tickets
le **carrefour**	crossroads
le **centre-ville** (*pl* ~**s**~**s**)	town centre
le **château** ◇ (*pl* -**x**)	castle
le **cinéma** ◇	cinema
le **coin**	corner
le **commissariat de police**	police station
le **département**	(like British ''region'')
un **embouteillage** ▭	traffic jam
un **endroit**	place
les **environs**	surroundings, outskirts
l'**habitant**	inhabitant
le **:HLM** ▭ (**habitation à loyer modéré**)	council flat *or* house
l'**hôtel** ◇	hotel; mansion
l'**hôtel de ville**	town hall
un **immeuble**	block of flats
le **jardin public**	public park
le **jardin zoologique**	zoo
le **kiosque** (à journaux)	(newspaper) stall
le **lieu** (*pl* -**x**)	place
le **magasin**	shop
le **maire**	mayor
le **marché** ◇	market
le **métro** ◇	underground
le **monument** ◇	monument

acheter un carnet de tickets to buy a book of tickets
circuler to move (along)
visiter la ville to go sight-seeing (*in the town*)
regarder un plan de la ville to look at a map of the town
industriel(le) industrial; **historique** historic
joli(e) pretty; **laid(e)** ugly
propre clean; **sale** dirty

le musée ◇ 🗔	museum; art gallery
le parc	park
le parking ◇	car park
le passant	passer-by
le piéton	pedestrian
le pont ◇	bridge
le quartier	district
le restaurant ◇	restaurant
le sens unique 🗔	one-way street
le syndicat d'initiative, SI ◇	tourist information office
le taxi ◇	taxi
le théâtre ◇	theatre
le tour ◇	tour
le touriste	tourist
le trottoir	pavement
le véhicule 🗔	vehicle

IMPORTANT WORDS (m)

un abribus	bus shelter
un arrondissement	district
un autobus à/sans impériale	double-/single-decker bus
le bistrot	café
le cimetière	cemetery, graveyard
le citadin	town dweller
le citoyen ◇	citizen
le comté	county
le conseil municipal	town council
le défilé ◇	procession, parade
le dépliant	leaflet
un édifice	building
un égout	sewer
le faubourg	suburb
le gratte-ciel (*pl inv*)	skyscraper
le panneau (*pl* -**x**)	roadsign
le passage clouté	pedestrian crossing
le pavé	cobblestone; paving
le refuge	traffic island
le réverbère	street lamp

ESSENTIAL WORDS (f)

une **affiche** ◇	notice; poster
une **auto**	car
la **banlieue**	suburbs
la **banque** ◇	bank
la **bibliothèque** ◇	library
la boutique ◇ ▭	(small) shop
la **cathédrale**	cathedral
la **chaussée** ◇	roadway
la **circulation**	traffic
une **église**	church
la **gare**	(train) station
la **gare routière**	coach station
la :HLM ▭ **(habitation à loyer modéré)**	council flat _or_ house
la **mairie**	town hall
la **piscine** ◇	swimming pool
la **place** ◇	square
la **police** ◇	police
la pollution ▭	air pollution
la **poste** ◇	post office
la **route** ◇	road
la **rue**	street
la **rue principale**	main street
la **station de taxis**	taxi stand _or_ rank
la **station-service** (_pl_ ~**s**~)	service station, garage
la **tour** ◇	tower
une **usine** ◇	factory
la **ville**	town, city
la **voiture** ◇	car
la vue ◇ ▭	view

je vais en ville I'm going into town
au centre-ville in the town centre
sur la place in the square
une rue à sens unique a one-way street
traverser la rue to cross the street
au coin de la rue at the corner of the street
habiter la banlieue to live in the suburbs
marcher to walk
prendre le bus/le métro _etc_ to take the bus/the underground _etc_

IMPORTANT WORDS (m) (cont)

les **signaux routiers**	roadsigns
le **sondage d'opinion**	opinion poll
le **square**	square (*with gardens*)
le **tournant**, le **virage**	turning, bend

USEFUL WORDS (m)

un **aire de stationnement**	parking area
le **balayeur**	roadsweeper (*person*)
le **banlieusard**	suburbanite, commuter
le **beffroi**	belfry
le **bidonville**	shanty town
le **bourg**	market town
le **camelot**	street pedlar
le **caniveau** (*pl* -**x**)	gutter
le **casino**	casino
le **clochard**	down-and-out, tramp
le **clocher**	church tower; steeple
le **concitoyen**	fellow citizen
le **coupe-gorge** (*pl inv*)	dangerous back-alley
le **crieur de journaux**	newspaper seller
le **demi-tarif** (*pl* ~**s**)	half-fare
un **écriteau** (*pl* -**x**)	notice, sign
le **gardien de musée**	museum attendant
le **graffiti**	graffiti
l'**horodateur**	parking ticket machine
le **jumelage**	twinning
le **lavoir**	wash house
le **mendiant**	beggar
le **parvis**	square (*in front of church*)
le **passage souterrain**	subway, underpass
le **réverbère**	street lamp
le **riverain**	local resident

la desserte de la ville est assurée par autocar there is a coach service to the town

IMPORTANT WORDS (f)

une **agglomération** ◇	built-up area
la **camionnette de livraison**	delivery van
la **caserne de pompiers**	fire station
la **cité**	city (*old part*)
la **cité universitaire**	university halls of residence
les **curiosités**	sights, places of interest
la **flèche**	spire; arrow
la **foule**	crowd
la **galerie** ◇	art gallery
la **grand'route**	main road
la **grand-rue**	main street
une **impasse**	dead end
la **piste cyclable**	cycle path
la **population**	population
la **prison**	prison
la **queue** ◇ [kø]	queue
la **statue**	statue
la **voiture d'enfant**	pram

USEFUL WORDS (f)

les **arcades**	arcade
la **balayeuse**	roadsweeper (*machine*)
la **banlieusarde**	suburbanite, commuter
la **billetterie**	cash dispenser
la **chaussée** ◇	road, roadway
la **cité**	city; town
la **cité-dortoir** (*pl* ~**s**~**s**)	dormitory town
la **cité ouvrière**	(workers') housing estate
la **citoyenne** ◇	fellow citizen
la **clocharde**	down-and-out, tramp
la **crieuse de journaux**	newspaper seller
la **fontaine**	fountain
la **levée**	collection (*mail*)
la **mendiante**	beggar
la **riveraine**	local resident
la **rue sans issue**	dead-end street, cul-de-sac
la **ruelle**	alley(way)
la **ville champignon**	boom town
la **zone industrielle (ZI)**	industrial estate

ESSENTIAL WORDS (m)

un aller-retour	return ticket
un aller-simple	single ticket
les bagages ◊	luggage
le billet ◊	ticket
le buffet ◊	station buffet
le carnet ◊	book of tickets
le chemin de fer ▭	railway
le compartiment ▭	compartment
le conducteur ▭	(train) driver
le départ ▭	departure
le douanier ▭	customs officer
un escalier roulant ◊ ▭	escalator
un express ▭	fast train
le frein ◊ ▭	brake
le guichet ◊ ▭	booking or ticket office
l'horaire ▭	timetable
le mécanicien ◊ ▭	engine-driver
le métro ◊	underground (railway)
le numéro ◊	number
les objets trouvés	lost and found
un omnibus	slow train
le passeport ◊	passport
le plan ◊	plan, map
le pont ◊	bridge
le porteur ◊ ▭	porter
le pourboire ◊ ▭	tip
le prix du billet ◊	fare
le prix du ticket	fare
le quai ◊	platform
le rapide ▭	express train
les renseignements ◊	information
le retard	delay
le sac ◊	bag
le supplément ◊ ▭	extra charge
le tarif ◊ ▭	rate, fare
le taxi ◊	taxi
le ticket ▭	ticket
le train	train
le train express ▭	fast train
le train omnibus	slow train

ESSENTIAL WORDS (f)

une **arrivée** 🗀	arrival
la **barrière** ◇	barrier
la **bicyclette** ◇ 🗀	bicycle
la **classe** 🗀	class
la consigne ◇	left-luggage office
la **consigne automatique** 🗀	left-luggage locker
la **correspondance** 🗀	connection
la couchette	couchette, sleeping car
la destination	destination
la **direction** ◇ 🗀	direction
la **douane** ◇ 🗀	customs
la durée	length, duration
une **entrée** ◇	entrance
la frontière	border, frontier
la gare	station
l'horloge	(large) clock
la **ligne** 🗀	line, track
la **place** ◇	seat
la portière	(carriage) door
la **réduction** ◇	reduction
la **réservation** 🗀	reservation, booking
la salle d'attente ◇	waiting room
la **section** 🗀	fare stage (*on bus*)
la SNCF	French Railways
la **sortie** ◇	exit
la station (de métro)	underground *or* subway station
la station (de taxis)	taxi stand *or* rank
la valise ◇	case, suitcase
la **voie** ◇ 🗀	track, line
la voiture ◇	carriage, coach

demander des renseignements to ask for information
réserver une place to book a seat
payer un supplément to pay an extra charge
faire/défaire ses bagages to pack/unpack (one's luggage)
j'aime voyager par le train I like travelling by train
prendre le train to take *or* catch the train; **manquer le train** to miss the train
monter dans le train/bus to get into the train/onto the bus
descendre du train/bus to get off the train/bus
c'est pris?/libre? is this seat taken?/free?

ESSENTIAL WORDS (m) (cont)

le train rapide 📖	express train
le vélo ◇	bike
le voyage ◇	journey
le voyageur 📖	traveller
le wagon-lit (pl ~**s**~**s**)	sleeping car
le wagon-restaurant (pl ~**s**~**s**)	dining car

IMPORTANT WORDS (m)

le chauffeur ◇	fireman, stoker
le chef de gare	stationmaster
le chef de train	guard
le cheminot	railwayman
le contrôleur	ticket collector
le coup de sifflet	blast on whistle
le déraillement	derailment
le filet ◇	luggage rack
le fourgon du chef de train	guard's van
un indicateur	timetable
le passage à niveau	level crossing
les rails	rails
le signal d'alarme	alarm, communication cord
le train de marchandises	goods train
le trajet	journey
le wagon	carriage, coach

USEFUL WORDS (m)

un autorail	railcar
le distributeur de billets	ticket machine
le talus	embankment

le train est en retard the train is late
un compartiment fumeur/non-fumeur a smoking/non-smoking compartment
"défense de se pencher au dehors" "do not lean out of the window"

IMPORTANT WORDS (f)

la **banquette**	seat
la **carte d'abonnement**	season ticket
une **étiquette**	label
la **locomotive** ◇	locomotive, engine
la **malle**	trunk
la **salle des pas perdus**	waiting room
la **sonnette d'alarme**	alarm, communication cord
la **voie ferrée**	(railway) line *or* track

USEFUL WORDS (f)

les **grandes lignes**	main lines

je t'accompagnerai à la gare I'll go to the station with you
je viendrai te chercher à la gare I'll come and fetch you from the station
je passerai te prendre à la gare I'll come and pick you up at the station
le train de 10 heures à destination de Paris/en provenance de Paris the 10 o'clock
train to Paris/from Paris

ESSENTIAL WORDS (m)

un arbre ◇	tree
un arbre de Noël	Christmas tree
le bois ◇ 🕮	wood

IMPORTANT WORDS (m)

un arbre fruitier	fruit tree
le bouleau (*pl* -**x**)	birch
le bourgeon	bud
le buis	box tree
le buisson ◇	bush
le châtaignier	chestnut tree
le chêne	oak
un érable	maple
le feuillage ◇	leaves, foliage
le frêne	ash
le :hêtre	beech
le :hêtre rouge	copper beech
le :houx	holly
un if	yew
le marronnier	(horse) chestnut tree
un orme	elm
le peuplier	poplar
le pin	pine
le platane	plane tree
le rameau (*pl* -**x**)	branch
le sapin	fir tree
le saule (pleureur)	(weeping) willow
le tilleul	lime tree
le tronc	trunk
le verger ◇	orchard
le vignoble	vineyard

USEFUL WORDS (m)

le bosquet	copse, grove
le bûcheron	woodcutter, lumberjack
le cèdre	cedar (tree)
le conifère	conifer

ESSENTIAL WORDS (f)

la branche	branch
la feuille ◇	leaf
la forêt	forest

IMPORTANT WORDS (f)

une aubépine ◇	hawthorn
la baie ◇	berry
l' écorce	bark
la racine	root

USEFUL WORDS (f)

les broussailles	undergrowth
la bûche	log
la cerisaie	cherry orchard
la châtaigne	(sweet) chestnut
la cime d'un arbre	treetop
la clairière	clearing
la fougère	fern
la futaie	forest, plantation
une oliveraie	olive grove
une orangeraie	orange grove
la pinède	pinewood, pine forest
la pomme de pin	pine *or* fir cone
la sève	sap
la souche	stump

une chaise de *or* **en bois** a wooden chair
à l'ombre d'un arbre in the shade of a tree
les feuilles jaunissent en automne the leaves turn yellow in autumn
déraciner to uproot

le cyprès [sipʀɛ]	cypress
le déboisement	deforestation
le défrichement	clearance
le feuillu	broad-leaved tree
le frêne	ash (tree)
le gland	acorn
le merisier	wild cherry tree
un olivier	olive tree
le reboisement	reafforestation
le sous-bois (pl inv)	undergrowth
le sureau (pl -x)	elder (tree)
le taillis	copse

le champignon 🔲	mushroom
le chou 🔲 (*pl* -**x**)	cabbage
le chou-fleur 🔲 (*pl* ~**x**~**s**)	cauliflower
le :haricot	bean
le :haricot vert	French bean
les légumes ◇	vegetables
un oignon 🔲	onion
les petits pois	(garden) peas

l' ail [aj]	garlic
un artichaut	artichoke
le céléri	celery
le chou (*pl* -**x**) de Bruxelles	Brussels sprout
le concombre	cucumber
le cresson	cress
un épi de maïs [ma-is]	corn on the cob
les épinards	spinach
le navet	turnip
le persil [pɛrsi]	parsley
le piment doux	(sweet) pepper
le poireau (*pl* -**x**)	leek
le poivron	(sweet) pepper
le radis	radish

le chou-rave (*pl* -**x**~**s**)	kohlrabi
le fenouil	fennel
le flageolet	flageolet, dwarf kidney bean
le maïs ◇	sweetcorn
le panais	parsnip
le piment rouge	chilli
le pois chiche	chickpea
les pois cassés	split peas
le potiron	pumpkin
le romarin	rosemary
le rutabaga	swede
le safran	saffron
le thym	thyme

la carotte 📖	carrot
les crudités 📖	*selection of salads*
la pomme de terre (*pl* ~**s de terre**)	potato
la salade (verte)	(green) salad
la tomate	tomato; tomato plant

les asperges	asparagus
une aubergine	aubergine
la betterave	beetroot
la chicorée	endive
la courge	marrow
la courgette	courgette
une endive	chicory
la laitue	lettuce

une asperge	asparagus
la citrouille	pumpkin
une échalote	shallot
une épice	spice
la fève	broad bean
les lentilles	lentils
la sarriette	savory
la sauge	sage

aimer to like; **détester** to hate; **préférer** to prefer
cultiver des légumes to grow vegetables
carottes râpées grated carrot
choucroute garnie sauerkraut with meat
pommes persillées potatoes with parsley
pommes frites chips; **pommes vapeur** boiled potatoes
rouge comme une tomate as red as a beetroot
organique organic
végétarien(ne) vegetarian

ESSENTIAL WORDS (m)

l' arrière ▭	back
un autobus ▭	bus
un autocar ▭	coach
l' avant ▭	front
un avion	plane, aeroplane
le ballon ◇	balloon
le bateau (pl -x)	boat
le bateau à rames/à voiles	rowing/sailing boat
le bus	bus
le camion	lorry, truck
le car	coach
le casque ▭	helmet
le ferry	ferry
l' hélicoptère	helicopter
l' hovercraft	hovercraft
le métro ◇	underground
le moyen de transport	means of transport
le poids lourd ▭	heavy lorry, juggernaut
le prix du billet ◇	fare (*any mode of transport*)
le prix du ticket	fare (*boat, plane*)
le risque	risk
le scooter ▭	scooter
le taxi ◇	taxi
le train	train
le véhicule ▭	vehicle
le vélo ◇	bike
le vélomoteur	moped

voyager to travel
il est allé à Paris en avion he went to Paris by air, he flew to Paris
prendre le bus/le métro/le train to take the bus/the metro/the train
faire de la bicyclette to go cycling
appelez l'ambulance! call an ambulance!
on peut y aller en voiture we can go there by car *or* in the car
conduire une voiture to drive (a car)
une promenade en voiture a drive
une voiture de location a hired *or* rented car
une voiture de sport a sports car
une voiture de course a racing car
une voiture de fonction a company car

---

un aéroglisseur	hovercraft
un astronef	spaceship
le bac ◇	ferry (boat)
le bateau-mouche (pl -**x**~**s**)	*tour boat on the Seine*
le break [bʀɛk]	estate car
le bulldozer [buldozœʀ]	bulldozer
le camion-citerne (pl ~**s**~**s**)	tanker (*lorry*)
le canoë [kanɔe]	canoe
le canot	rowing boat
le canot de sauvetage	lifeboat
le char (d'assaut)	tank
le cyclomoteur	moped
le dirigeable	airship
le funiculaire	funicular (railway)
l'hydravion	seaplane
le navire	ship
un OVNI (objet volant non identifié)	UFO, unidentified flying object
le paquebot	passenger steamer, liner
le pétrolier	oil tanker (*ship*)
le planeur	glider
le porte-avions (pl inv)	aircraft carrier
le remorqueur	tug, tugboat
le semi-remorque (pl ~**s**)	articulated lorry
le sous-marin (pl ~**s**)	submarine
le téléphérique	cable car
le télésiège	chairlift
le tramway	tram
le vaisseau (pl -**x**)	vessel
le vapeur ◇	steamer
le yacht [jɔt]	yacht

un avion-cargo (pl ~**s**~**s**)	air freighter
un avion-citerne (pl ~**s**~**s**)	air tanker
le bateau-citerne (pl -**x**~**s**)	tanker (*ship*)
le bibliobus	mobile library van
le bolide	racing car
le cabriolet	convertible

ESSENTIAL WORDS (f)

une **ambulance** ◇	ambulance
la **bicyclette** ◇ ⌑	bicycle
la **camionnette** ◇	(small) van
la **caravane** ◇	caravan
la **distance** ⌑	distance
la **moto, motocyclette**	motorbike, motorcycle
la **voiture** ◇	car; coach, carriage
la **voiture de dépannage** ◇	breakdown van
la **voiture de pompiers**	fire engine

IMPORTANT WORDS (f)

la **camionnette de livraison**	delivery van
la **charrette**	cart
la **fusée**	rocket
la **jeep**	jeep
la **locomotive** ◇	engine, locomotive
la **mobylette**	moped
la **péniche**	barge
la **remorque**	trailer
la **soucoupe volante**	flying saucer
la **vedette** ◇	speedboat
la **voiture d'enfant**	pram
la **voiture pie**	Panda car

USEFUL WORDS (f)

la **bétaillère**	livestock truck
la **calèche**	horse-drawn carriage
la **carrosserie**	body, coachwork
la **fourgonnette**	delivery van
la **goélette**	schooner
la **grue**	crane
la **navette spatiale**	space shuttle
la **pelleteuse**	mechanical digger, excavator
la **péniche**	barge
la **pirogue**	dugout (canoe)
la **poussette**	pushchair
la **révision**	service; overhaul

le Canadair	fire-fighting plane
le carrosse	(horse-drawn) coach
le chalutier	trawler
le corbillard	hearse
un deux-roues (*pl inv*)	two-wheeled vehicle
un engin	heavy vehicle
le fiacre	(hackney) cab
le fourgon	van
un gilet de sauvetage	life jacket
l'hydroglisseur	hydroplane
le landau	pram
le minibus	minibus
le monoplace	single-seater
le traîneau	sleigh, sledge
les transports en commun	public transport
le trimaran	trimaran
le van	horsebox
le voilier	sailing ship; sailing boat

"voitures d'occasion" ''second-hand cars''
les transports en commun public transport
une 6 cylindres a 6-cylinder car
une grosse cylindrée big-engined car

ESSENTIAL WORDS (m)

l'air ◇	air
un an	year
un après-midi (*pl inv*)	afternoon
l'automne	autumn
le brouillard	fog
le bulletin de la météo	weather report
le changement	change
le ciel ◇ ▭	sky
le climat ▭	climate
le coucher du soleil	sunset
le degré ▭	degree
l'endroit	place
l'est	east
l'été	summer
le froid	cold
l'hiver	winter
le lever du soleil	sunrise
le matin	morning
le mois	month
le monde ▭	world
le nord	north
le nuage ▭	cloud
un orage	thunderstorm
l'ouest	west
le parapluie ▭	umbrella
le pays ◇	country
le printemps	spring
le soir ◇	evening
le soleil ◇	sun; sunshine
le sud	south
le temps ◇	weather
le vent	wind

quel temps fait-il? what's the weather like?
il fait chaud/froid it's hot/cold; **il fait beau** it's a lovely day
il fait mauvais (temps) it's a horrible day
il fait du soleil/du vent it's sunny/windy
en plein air in the open air; **il fait du brouillard** it's foggy
écouter la météo *or* **les prévisions** to listen to the forecast
pleuvoir to rain; **neiger** to snow

WEATHER

IMPORTANT WORDS (m)

un **amoncellement de neige**	snowdrift
un **arc-en-ciel** (*pl ~***s***~~)	rainbow
le **baromètre**	barometer
le **chasse-neige** (*pl inv*)	snowplough
le **clair de lune**	moonlight
le **coup de tonnerre**	thunderclap
le **coup de vent**	gust of wind
le **courant d'air**	draught
le **crépuscule**	twilight
les **dégâts**	damage, destruction
le **dégel**	thaw
le **déluge**	downpour
un **éclair**	flash of lightning
le **flocon de neige**	snowflake
le **gel**	frost
le **givre**	frost
le **glaçon** ◊	icicle
un **ouragan**	hurricane
le **paratonnerre**	lightning conductor
le **point de congélation**	freezing point
le **rayon** ◊ (**de soleil**)	ray (of sunshine)
le **smog**	smog
le **tonnerre**	thunder
le **tremblement de terre**	earthquake
le **verglas**	black ice

USEFUL WORDS (m)

le **crachin**	drizzle
le **cyclone**	cyclone; hurricane
l'**enneigement**	snow coverage
l'**ensoleillement**	hours of sunshine
le **grêlon**	hailstone
le **grésil**	(fine) hail
le **microclimat**	microclimate
le **radoucissement**	milder period, better weather
le **tourbillon**	whirlwind
le **typhon**	typhoon
le **vent de tempête**	gale
le **zénith**	zenith

ESSENTIAL WORDS (f)

une **amélioration** ▭	improvement
une **après-midi** (*pl inv*)	afternoon
une **averse** ▭	shower
la **chaleur**	heat
la **côte** ◇	coast
une **éclaircie** ▭	bright period
une **étoile** ▭	star
la **fumée** ◇	smoke
la **glace** ◇	ice
une **île** ◇	island
la **journée** ◇	(whole) day; daytime
la **lumière** ◇ ▭	light
la **météo**	(weather) forecast
la **montagne** ◇ ▭	mountain
la **neige**	snow
la **nuit** ◇	night
la **pluie** ◇	rain
la **poussière** ◇	dust
la **précipitation** ▭	rainfall
les **prévisions** (**météorologiques**)	(weather) forecast
la **région**	region, area
la **saison** ▭	season
la **température** ◇	temperature
la **tempête** ▭	tempest, gale, storm
la **visibilité** ▭	visibility

il pleut it's raining; **il neige** it's snowing
le soleil brille the sun is shining
le vent souffle the wind is blowing
il gèle it's freezing; **geler** to freeze; **fondre** to melt
ensoleillé sunny; **neigeux(euse)** snowy
orageux(euse) stormy; **pluvieux(euse)** rainy, wet
frais (fraîche) cool; **variable** changeable; **humide** humid; damp
il faisait une chaleur intenable the heat was unbearable
il pleut à verse it's pouring; **se mettre à l'abri** to shelter
le ciel est nuageux/couvert the sky is cloudy/overcast
mouillé(e) wet

IMPORTANT WORDS (f)

l'atmosphère	atmosphere
l'aube	dawn
la brise	breeze
la brume 📖	mist
la canicule	heatwave
la chute de neige	snowfall
la congère	snowdrift
la flaque d'eau	puddle
les fleurs de givre	frost patterns (*on window*)
la foudre	lightning
la gelée ◊	frost
la goutte de pluie	raindrop
la grêle	hail
une inondation	flood
la lune	moon
l'obscurité	darkness
une ombre	shadow
la rafale	squall
la rosée	dew
la sécheresse	drought
les ténèbres	darkness
la vague de chaleur	heatwave

USEFUL WORDS (f)

une accalmie	lull
l'acclimatation	acclimatization
la bourrasque	gust of wind, squall
la bruine	drizzle
la fonte des neiges	(spring) thaw
une giboulée	sudden shower
la girouette	weather vane *or* cock
les intempéries	bad weather
la mousson	monsoon
une ondée	shower
la perturbation (atmosphérique)	atmospheric disturbance
la pluviosité	raininess, wetness; (average) rainfall
la tornade	tornado
la vague de froid	cold spell

ESSENTIAL WORDS (m)	

le bureau ◊ (*pl* **-x**)	office
le dîner	dinner
le dortoir ▢	dormitory
le drap ◊ ▢	sheet
le garçon ◊	boy
le guide	guide-book
le linge ◊	bedclothes, bedding; washing
le lit ◊	bed
le petit déjeuner ◊	breakfast
le règlement ◊	rule
le repas ◊	meal
le repas préparé	prepared meal
le sac à dos	backpack, rucksack
le sac de couchage	sleeping bag
le séjour ▢	stay
le silence ▢	silence
le tarif ◊ ▢	rate(s)
le visiteur ▢	visitor
les W.-C. ◊ ▢	toilet(s)

je voudrais louer un sac de couchage I would like to hire a sleeping bag

ESSENTIAL WORDS (f)

une	auberge de jeunesse	youth hostel
la	carte ◇	map; card
la	carte d'adhérent	membership card
la	cuisine ◇	kitchen; cooking
la	douche ◇	shower
la	fille	girl
la	gourde	flask
la	nuit ◇	night
la	place ◇	room; place
la	poubelle ◇	dustbin
la	**randonnée** ▢	walk; hike; drive
la	salle à manger ◇	dining room
la	salle de bains ◇	bathroom
la	**salle de jeux** ▢	games room
les	toilettes ◇	toilet(s)
les	vacances ◇	holidays

passer une nuit à l'auberge de jeunesse to spend a night at the youth hostel

The vocabulary items on pages 307 to 334 have been grouped under parts of speech rather than topics because they can apply in a wide range of circumstances. You should learn to use them just as freely as the vocabulary already given.

CONJUNCTIONS

CONJUNCTIONS

alors que when, as, while
aussi so, therefore
aussi ... que as ... as
avant de + *infinitive* before
car for, because
cependant however
c'est-à-dire that is to say
comme as
comment how
depuis que (ever) since
dès que as soon as
donc so; then
et and
et alors? so what!
et lui? what about him?
lorsque when, as
maintenant que now (that)
mais but
mais non! of course not!
au moment où (just) as

ne ... que only
ni ... ni neither ... nor
or now
ou or
ou ... ou either ... or
ou bien or (else)
parce que because
pendant que while
pourquoi why
pourvu que + *subj* provided that, so long as
puisque since, because
quand when
que that; than
si if
sinon otherwise; other than, except
tandis que whilst
tant que so long as, while
vu que seeing (that); in view of the fact that

ADJECTIVES

abordable within reach
abrégé(e) shortened
absurde absurd
accessoire of secondary
  importance; incidental
actif, active active
actuel(le) present (*time*)
aérien(ne) aerial
affectueux, -euse affectionate
affreux, -euse frightful
âgé(e) old
agité restless; busy; (*street*); stormy
  (*sea*)
agréable pleasant
agricole agricultural
aigu, aiguë acute; piercing
aimable kind, nice
aîné(e) elder, eldest
amer, amère bitter
amusant(e) amusing, enjoyable
ancien(ne) old, former
animé(e) busy, crowded
annuel(le) annual
anonyme anonymous
anormal(e) abnormal, unusual
anxieux, -euse anxious, worried
appliqué(e) diligent
apte capable
arrière: siège *m* arrière back seat
assis(e) sitting, seated
aucun(e) any, no, not any
automatique automatic
autre other
avant: siège *m* avant front seat
barbu bearded
bas(se) low
beau (bel), belle beautiful, fine
bête silly
bien fine, well; comfortable
bienvenu(e) welcome

bizarre strange, odd
blessé(e) injured
bon(ne) good
bon marché *inv* cheap
bordé(e) de lined with
bouillant(e) boiling
bouleversé(e) thrown into
  confusion
brave fine, good
bref, brève brief
brillant(e) bright, brilliant; shiny
bruyant(e) noisy
calme calm
capable capable
carré(e) square
célèbre famous
certain(e) sure, certain
chaque each, every
chargé(e) de loaded with;
  responsible for
charmant(e) delightful
chatoyant(e) glistening;
  shimmering
chaud(e) warm; hot; *see* avoir,
  faire
cher, chère dear; expensive
chic smart
choquant(e) shocking
chouette great, brilliant
clair(e) clear; light
classique classical
climatisé(e) air-conditioned
commode convenient
complet, complète complete; full
compliqué(e) complicated
composé(e) de comprising
compris(e) understood; including
confortable comfortable
contemporaine(e) contemporary
content(e) happy

continuel(le) continuing
convenable suitable
correct(e) correct
couché(e) lying down
courageux, -euse courageous
court(e) short
couvert(e) de covered with
créé(e) created, established
cruel(le) cruel
cuit(e) cooked; **bien cuit** well done (of steak)
culturel(le) cultural
curieux, -euse curious, strange
dangereux, -euse dangerous
debout standing (up)
décevant(e) disappointing
déchiré(e) torn
découragé(e) discouraged
déçu(e) disappointed
dégoûté(e) disgusted
délicat(e) delicate
délicieux, -ieuse delicious
dernier, dernière last, latest
désagréable unpleasant
désert(e) deserted
désespéré(e) desperate
désolé(e) desolate; sorry
détestable foul, ghastly
détruit(e) destroyed
différent(e) different
difficile difficult
digne worthy
direct(e) direct
disponible available
distingué(e) distinguished
distrait(e) absent-minded
divers(e) different
divertissant(e) entertaining
divin(e) divine
divisé(e) divided
doré(e) golden; gilt
doux, douce gentle; sweet; soft
droit(e) straight; right(hand)

drôle funny
dur(e) hard
éclairé(e): bien éclairé(e) well lit
économique economic; economical
effrayé(e) frightened
égal(e) equal; even; steady
électrique electric
élégant(e) elegant
élevé(e) high; **bien élevé(e)** well-mannered
embêtant(e) annoying
enchanté(e) delighted
ennuyé(e) bothered; annoyed
ennuyeux, -euse boring
énorme huge
ensoleillé(e) sunny
entendu(e) agreed; **bien entendu** of course
entier, entière whole
épais(se) thick
épouvantable terrible
épuisé(e) exhausted, worn out
essentiel(le) essential
essoufflé(e) out of breath
étendu(e) stretched out
étonnant(e) astonishing
étonné(e) astonished; **d'un air étonné** in astonishment
étrange strange
étranger, étrangère foreign
étroit(e) narrow; strict
éveillé(e) awake
évident(e) evident, obvious
exact(e) exact
excellent(e) excellent
expérimenté(e) experienced
extra inv first-rate; top quality
extraordinaire extraordinary
fâché(e) angry
facile easy
faible weak; faint
fatigant(e) tiring

ADJECTIVES

fatigué(e) tired
faux, fausse false, wrong
favori(te) favourite
fermé(e) closed, shut; off (*of tap etc*)
féroce fierce
fier, fière proud
fin(e) fine; thin
final(e) final
fondé(e) founded
formidable tremendous, magnificent; great
fort(e) strong; hard
fou, folle mad; **un succès fou** a great success
fragile fragile; frail
frais, fraîche fresh, cool
froid(e) cold; *see* **avoir, faire**
furieux, -euse furious
futur(e) future; **future maman** *f* mother-to-be
gai(e) gay
gauche left(hand)
général(e) general
gentil(le) kind, nice
gonflé(e) blown up
gracieux, -ieuse graceful
grand(e) big; great; tall; high
gratuit(e) free
grave serious
gros(se) big; fat
habile skilful
habitué(e) à used to
habituel(le) usual
haut(e) high; tall
heureux, -euse happy
historique historic(al)
honnête honest
identique identical
illuminé(e) lit; floodlit
illustré(e) illustrated
imaginaire imaginary
immense huge, immense

immobile still, motionless
important(e) important
impossible impossible
impressionnant(e) impressive
imprévu(e) unforeseen
inattendu(e) unexpected
incapable (de) incapable (of)
inconnu(e) unknown
incroyable unbelievable
indispensable indispensable
industriel(le) industrial
inondé(e) flooded
inquiet, inquiète anxious, worried
insouciant(e) carefree
insupportable horrid, unbearable
intelligent(e) intelligent
interdit(e) prohibited
intéressant(e) interesting
interminable endless
interrompu(e) interrupted
inutile useless
irrité(e) annoyed
isolé(e) isolated
jaloux, -ouse jealous
jeune young
joli(e) pretty
joyeux, -euse merry, cheerful
juste just; correct
lâche cowardly
laid(e) ugly
large wide; broad
léger, légère light
lent(e) slow
leur/leurs their
libre free, vacant
local(e) local
long(ue) long
lourd(e) heavy
de luxe luxurious, luxury
magique magic; magical
magnifique magnificent
maigre thin

malade ill
malheureux, -euse unhappy,
  unfortunate
malhonnête dishonest
mauvais(e) bad; à la mauvaise
  ligne on the wrong line; de
  mauvaise humeur in a bad
  temper
mécanique mechanical
méchant(e) naughty
mécontent(e) unhappy
médical(e) medical
meilleur(e) better, best
même same
merveilleux, -euse marvellous
militaire military
minable pathetic, pitiful
mince slim, slender
mobile mobile; moving; movable
moche ugly; rotten, bad
moderne modern
moindre least
mon/ma/mes my
montagneux, -euse mountainous
mort(e) dead
mouillé(e) wet through
mouvementé(e) lively
moyen(ne) average
mû, mue (par) moved (by)
multicolore multicoloured
muni(e) de provided with
municipal(e) municipal, town
mûr(e) ripe
musclé(e) muscular, brawny
musical(e) musical
mystérieux, -euse mysterious
natal(e) native
national(e) national
naturel(le) natural
né(e) born
nécessaire necessary
nerveux, -euse nervous
net(te) clear, sharp

neuf, neuve new; tout(e) neuf
  (neuve) brand new
nombreux, -euse numerous
normal(e) normal
notre/nos our
nouveau (nouvel), nouvelle new
noyé(e) drowned
nul: match nul draw
obligatoire compulsory
obligé(e) de obliged to
occupée(e) engaged, taken (of room);
  busy (of person); engaged (of
  phone)
officiel(le) official
ordinaire ordinary
original(e) original
orné(e) de decorated with
outré(e) outraged, appalled
ouvert(e) open; on (of tap etc)
paisible peaceful
pâle pale
pareil(le) similar, same; une
  somme pareille such a sum
paresseux, -euse lazy
parfait(e) perfect
particulier, particulière particular;
  private
passionnant(e) exciting
passionné(e) passionate
patient(e) patient
pauvre poor
pénible painful
permanent(e) permanent
perpétuel(le) perpetual
personnel(le) personal
petit(e) small, little
pittoresque picturesque
plat(e) flat
plein(e) (de) full (of); en plein air
  in the open air; en plein jour in
  broad daylight
plusieurs several
pneumatique inflatable

ADJECTIVES

poli(e) polite; polished
populaire popular
portatif, -ive portable
possible possible
pratique practical; handy
précédent(e) previous
précieux, -euse precious
précis(e) precise; à cinq heures précises at exactly five o'clock
préféré(e) favourite
premier, première first
pressant(e) urgent
pressé(e): être pressé(e) to be in a hurry
prêt(e) ready; prêt à porter ready to wear, off-the-peg
primaire primary
privé(e) private
privilégié(e) privileged
prochain(e) next
proche nearby; close
profond(e) deep
propre own; clean
prudent(e) cautious
public, publique public
publicitaire publicity
quel(le) what
quelque(s) some
rafraîchissant(e) refreshing
rangé(e): bien rangé(e) neat and tidy
rapide fast, quick, rapid
rare rare
ravi(e) delighted
récent(e) recent
reconnaissant(e) grateful
rectangulaire rectangular
religieux, -euse religious
réservé(e) reserved
responsable (de) responsible (for)
rêveur, -euse dreamy
riche rich, wealthy

ridicule ridiculous
rond(e) round
roulé(e) rolled up
rusé(e) cunning
sage good, well-behaved; wise
sain et sauf safe and sound
sale dirty; un sale temps terrible weather
sanitaire sanitary
satisfait(e) (de) satisfied (with)
sauvage uncivilized; wild
scolaire school (year etc)
sec, sèche dry
second(e) second
secondaire secondary
secret, secrète secret
sensass great, fantastic
sensationnel(le) sensational
sérieux, -euse serious
serré(e) tight, close
seul(e) alone; lonely; single
sévère severe, strict
simple simple, plain
sincère sincere
sinistre sinister
situé(e) situated
social(e) social
solennel(le) solemn
solide solid
sombre dark
son/sa/ses his, her, its, one's
peu soucieux (soucieuse) unconcerned
soudain(e) sudden
soupçonneux, -euse suspicious
souriant(e) smiling
sous-marin(e) underwater
spécial(e) special
suivant(e) following
suivi(e) de followed by
super super, great
superbe magnificent
supérieur(e) upper; advanced

supplémentaire extra
supportable bearable
sûr(e) sure
surprenant(e) surprising
sympa(thique) nice, likeable
technique technical
tel(le) such
temporaire temporary
terrible terrible; great
théâtral(e) theatrical
tiède lukewarm, tepid
timide shy
ton/ta/tes your
touristique tourist (*area etc*)
tout/toute/toutes all
traditionnel(le) traditional
tranquille quiet, peaceful
trempé soaked
triste sad
troublé(e) disturbed

typique typical
uni(e) plain
unique only (*hope etc*); unique
urbain(e) urban
urgent(e) urgent
utile useful
varié(e) varied; various
vaste vast
véritable real, genuine
vide empty
vieux (vieil), vieille old
vif, vive keen; vivid; bright
vilain(e) naughty; ugly; nasty
violent(e) violent
vivant(e) alive; lively
voisin(e) neighbouring
votre/vos your
vrai(e) real, true
vraisemblable likely, plausible

ADVERBS AND PREPOSITIONS

à to, at
d'abord first, at first
tout d'abord first of all
aux abords de alongside
au premier abord at first sight
absolument absolutely
actuellement at present
admirablement admirably
afin de so as to
ailleurs elsewhere
d'ailleurs moreover
ainsi thus
ainsi que as well as
aux alentours de in the neighbourhood of; round about
alors then; while
anxieusement anxiously
après after
après-demain the day after tomorrow
d'après according to
avec à-propos suitably
assez fairly, quite
assez de enough
aujourd'hui today
auparavant previously
auprès de by, close to, next to
aussi also, too; as
aussitôt at once
autant (de) as much; as many
d'autant plus (que) all the more (since)
autour (de) around
autrefois formerly
autrement otherwise, differently
autrement dit in other words
autrement que other than
à l'avance in advance
avant (de) before
avec with

en bas downstairs, at the bottom
beaucoup a lot; much, far
beaucoup de a lot of; many
bien well
bien entendu of course
bientôt soon
à bord (de) on board
au bord de beside
au bout de after (*of time*); at the end of
bref ''to cut a long story short''
brusquement abruptly, sharply
cependant however
certainement certainly
sans cesse without stopping, unceasingly
chez at (*or* to) the house of
chez moi/toi/lui/elle at my/your/his/her house
combien (de) how much, how many
comme as, like
comme d'habitude as usual
comme toujours as usual
comment? how?
complètement completely
y compris including
par conséquent as a result
continuellement continually
contre against
ci-contre opposite (this)
par contre on the other hand
à côte de next to, beside
de ce côté (de) on this side (of)
de l'autre côté (de) on the other side (of)
juste à côté next door
couramment fluently
dans in, into
davantage (de) more

de of, from
debout standing
dedans inside
(au) dehors outside
déjà already
demain tomorrow
après-demain the day after
  tomorrow
depuis since, for
depuis lors since then
derrière behind
dès from (*time*)
dès que as soon as
dessous underneath, beneath
ci-dessous below (this)
dessus on top
au-dessus (de) above
ci-dessus above (this)
devant in front (of)
doucement quietly; gently, softly
tout droit straight (on)
à droite on the right, to the right
dur: travailler dur to work hard
en effet indeed, as a matter of fact
également also; equally
encore still; again
encore une fois once again
enfin finally, at last
énormément (de) a lot (of)
ensemble together
ensuite then, next; later
entièrement entirely
entre between
environ about
éventuellement possibly,
  perhaps
évidemment evidently; obviously
exactement exactly
exprès on purpose, deliberately
à l'extérieur (de) outside
extrêmement extremely
face à facing; faced with
en face (de) opposite

facilement easily
de façon à so as to
fidèlement faithfully
finalement finally, in the end;
  after all
fort hard
franchement frankly, honestly
à gauche on the left, to the left
en général usually
généralement generally
gentiment nicely
grâce à thanks to
gravement gravely; seriously
ne ... guère hardly
à gogo galore
d'habitude usually
comme d'habitude as usual
par hasard by chance
au hasard at random
en haut (de) at the top (of)
de haut en bas from top to
  bottom
à l'heure on time
de bonne heure early
heureusement fortunately
hier yesterday
avant-hier the day before
  yesterday
ici here
immédiatement immediately
n'importe où anywhere
intellectuellement intellectually
à l'intérieur (de) inside
jadis formerly, once
jamais ever
ne ... jamais never
jusqu'à until; as far as, up to
jusqu'ici so far, until now
jusque-là until then
justement exactly
là there
là-bas over there, down there
là-haut up there

ADVERBS AND PREPOSITIONS

légèrement slightly; lightly
le lendemain the next day
le lendemain matin the next
  morning
lentement slowly
loin (de) far (from), a long way
  (from)
le long de along
longtemps (for) a long time
lourdement heavily
depuis lors since then
maintenant now
mal badly
malgré in spite of, despite
malheureusement unfortunately
manuellement manually
au maximum at (the) most; to the
  utmost
même same; even
même pas not even
quand même even so
mentalement mentally
mieux better
le mieux best
au milieu de in the middle of
moins less, minus
moins de less than, fewer than
au moins at least (quantity)
du moins at least
mystérieusement mysteriously
naturellement of course,
  naturally
nerveusement nervously
normalement normally
notamment especially
de nouveau again
nulle part nowhere
ne ... nullement in no way
où where
n'importe où anywhere
en outre furthermore
paisiblement peacefully
par by; through

par terre on the ground
par-dessous under(neath)
par-dessus over (the top) (of)
parfaitement perfectly
parfois sometimes
parmi among
à part apart (from)
nulle part nowhere
quelque part somewhere
en particulier in particular
particulièrement particularly
partiellement partially
à partir de from
partout everywhere
pas du tout not at all
pas loin de not far from
patiemment patiently
à peine scarcely, hardly, barely
pendant during, for
en perspective in prospect
peu à peu little by little
à peu près about, approximately
peut-être perhaps, maybe
poliment politely
plus [plys] plus
en plus [plys] moreover
plus de (pommes) [ply] no more
  (apples)
plus de (dix) [ply] more than (ten)
de plus [plys] moreover
de plus en plus [dəplyzãply] more
  and more
ne ... plus [ply] no more, no
  longer
plus tard [ply] later
non plus [ply] neither, either
moi non plus! nor me!
plutôt rather
pour for; in order to
pourtant yet, nevertheless
près de near (to)
à présent at present
presque almost, nearly

à proximité de near to
puis then, next
quand when
quand même however, even so, nevertheless
quant à (moi) as for (me)
quelquefois sometimes
quelque part somewhere
rapidement quickly
rarement rarely, seldom
récemment recently
régulièrement regularly
en retard late
sans without
sans cesse without stopping, ceaselessly
sauf except (for)
selon according to
sérieusement seriously
seul(e) alone
seulement only
simplement simply
soigneusement carefully
soudain suddenly
sous under
souvent often
"suite" ''continued''
à la suite de following
suivant according to, following
"à suivre" ''to be continued''
sur on
sûrement certainly, surely
sur-le-champ at once

surtout especially
sus: en sus in addition
tant de so much, so many
tard late
plus tard later
trop tard too late
tellement so; so much
de temps à autre from time to time
de temps en temps now and then, from time to time
en même temps at the same time
tôt early
trop tôt too soon, too early
le plus tôt possible as soon as possible
toujours always; still
en tout in all
tout d'abord first of all
tout à coup suddenly
tout à fait completely, quite
tout près (de) quite close (to)
tout de suite at once
à travers through
très very
trop too; too much
trop de too much, too many
uniquement only
un à un one by one
vers towards; about (*of time*)
vite quickly, fast
vraiment really
y there, to that place, in that place

NOUNS

SOME EXTRA NOUNS

un **accord** ◊ agreement
un **accueil** reception
l'**action** f action
l'**activité** f activity
une **affaire** matter
affût: à l'affût (de) on the lookout
for
l'**âge** m age
l'**agrandissement** m
enlargement
un **ajout** addition
l'**ajustage** m fitting
l'**ajustement** m adjustment
l'**alarme** f alarm
les **aléas** mpl hazards
un **amas** (pl inv) heap, pile
l'**ambition** f ambition
l'**âme** f soul
une **amélioration** improvement
l'**amour** m love
l'**ampleur** f scale, extent
l'**ancêtre de** m the forerunner of
une **ânerie** stupid comment
l'**angoisse** f anguish, distress
une **annonce** advertisement
l'**anonymat** m anonymity
l'**antériorité** f precedence (in time)
un **anthropophage** cannibal
une **anthropophage** cannibal
un **aperçu** general survey; insight
l'**apesanteur** f weightlessness
l'**aplomb** m balance
appui: à l'appui in support of this
l'**argot** m slang
une **armature** frame, framework
les **armoiries** fpl coat of arms
l'**arrière** m back, rear
l'**arrière-plan** m (pl ~s)
background
un **(nouvel) arrivant** newcomer

une **(nouvelle) arrivante**
newcomer
l'**arrivée** f arrival
à mon **arrivée** when I arrived
l'**articulation** f articulation
l'**asile** m refuge
l'**assistance** f aid, assistance
l'**assujettissement** m subjection
un **astre** star
une **astuce** trick
un **atout** asset
atteinte: hors d'atteinte out of
reach
l'**attention** f attention; see **faire**
à l'**attention de** for the attention
of
une **attestation** certificate
un **attrait** attraction
un **attroupement** mob
une **aubaine** godsend; windfall
l'**autocensure** f self-censorship
un **autocollant** sticker
l'**autorité** f authority
un **avantage** advantage
avant-dernier(ière) (pl ~s) last but
one
un **avant-goût** (pl ~s) foretaste
un **avant-propos** (pl inv) foreword
une **aventure** adventure
un **avertissement** warning
un **avis** notice; opinion
à mon **avis** in my opinion
azimut: tous azimuts
omnidirectional
le **bâillement** warning
la **banderole** streamer
la **bataille** battle
le **bâton** stick
la **beauté** beauty
le **besoin** see **avoir**

la **bêtise** stupidity
le **bien** good
la **blague** joke
le **bonheur** happiness, good luck
la **bonne volonté** goodwill,
  willingness
la **bousculade** bustle
le **bout** end
un **brin de** a touch of, a bit of
le **bruit** noise
le **but** ◊ aim; goal
la **cachette** hiding place
le **calcul** calculation
le **calme** peace, calm
le **candidat** candidate
le **caractère** ◊ character, nature;
  letter
le **cas** case
en cas de in case of, in the event
  of
en tout cas in any case
la **catastrophe** disaster
le **cauchemar** nightmare
la **cause** cause
à cause de because of
le **centre** centre
le **cercle** circle
la **certitude** certainty
le **chagrin** distress
la **chance** luck
la **chapelle** chapel
le **chapitre** chapter
le **charme** charm
le **charnier** mass grave
le **chef** ◊ chief, head, boss
le **chiffre** figure; numeral
le **choix** choice
la **chose** thing
le **chuchotement** whispering
le **cirage** (shoe)polish
la **citation** quotation
la **civilisation** civilization
la **clarté** brightness; clearness;

lightness
le **classement** classification
un **clin d'œil** wink
le **clocher** steeple
le **coin** corner
la **colère** anger; *see* **mettre**
la **colonne** column
le **commencement** beginning
la **comparaison**
  comparison; *see* **soutenir**
le **complot** plot
le **compte** calculation
la **conclusion** conclusion
la **confiance** confidence
le **confort** comfort
la **connaissance** *see* **faire**
la **conscience** conscience
le **conseil** (piece of) advice
le **contemporain** contemporary
la **contemporaine** contemporary
la **construction** construction
le **contraire** the opposite
au contraire on the contrary
le **contrecoup** repercussions
la **copie** copy
la **corbeille** basket
le/la **correspondant(e)**
  correspondent
le **Coton-Tige** ® (*pl inv*) cotton bud
la **couche** nappy
la **couche-culotte** (*pl ~s~s*)
  disposable nappy
le **coup** blow, bang, knock
le **couplet** verse
le **courage** courage, bravery
la **couronne** crown
cours: au cours de during, in the
  course of
en cours in progress
la **coutume** custom
la **crainte** fear
la **crasse** filth
le **cri** cry

NOUNS

le **critère** criterion
la **cruauté** cruelty
la **culture** ✧ culture
la **curiosité** curiosity
le **danger** danger
les **déboires** setbacks
les **débris** wreckage
le **début** beginning
la **décision** decision
la **découverte** discovery
le **défi** challenge
les **dégâts** damage
le **demi-sommeil** half-sleep
le **demi-tarif** half-price
la **dépilation** hair removal
le **désarmement** disarmament
le **désastre** disaster
le **désavantage** disadvantage
le **désir** desire, wish
le **désordre** disorder
le **destin** destiny
le **détachant** stain remover
le **détail** detail
la **détresse** distress
la **déveine** bad luck
le **diagramme** chart, graph
le **(bon) Dieu** God
la **différence** difference
quelle est la différence entre X et Y? what is the difference between X and Y?
la **difficulté** difficulty
la **dimension** dimension
la **direction** direction
la **discipline** discipline
le **dispositif** device
disposition: être à la disposition de qn to be at sb's disposal
la **dispute** argument, dispute
la **distance** distance
le **doute** doubt
sans doute no doubt; probably
le **droit** right

la **durée** time
un **échange** exchange; *see* **taux**
en échange de in exchange for
l'**économie** *f* economy; saving
un **effet** effect
l'**efficacité** *f* efficiency; effectiveness
un **effort** effort
un **électeur** elector
une **élection** election
l'**élégance** *f* elegance
un **empêchement** (unexpected) obstacle, hitch
une **empreinte** (foot)print
un **endroit** place
l'**énergie** *f* energy
l'**engagement** *m*: "sans engagement" "without commitment"
une **énigme** riddle
l'**ennemi** *m* enemy
l'**ennui** *m* annoyance, boredom
une **enseigne** sign
un **ensemble** group (*of buildings etc*)
l'**enthousiasme** *m* enthusiasm
un **entretien** conversation, discussion
envie *see* **avoir**
les **environs** *mpl* surrounding district
l'**épaisseur** *f* thickness
l'**équilibre** *m* balance
une **erreur** mistake
l'**esclavage** *m* slavery
un **esclave** slave
une **esclave** slave
l'**espace** *m* space
une **espèce** sort, kind, species
en espèces in cash
un **espoir** hope
l'**essentiel** *m* the main thing
une **étape** ✧ stage; stopping point

320

un état state
l'étendue f extent
une étincelle spark
l'étonnement m astonishment
un événement event
un excès excess
un exemplaire copy
en deux exemplaires in duplicate
un exemple example
par exemple for example
l'exil m exile
l'expérience ◇ f experience
un expert expert
une explication explanation
une exposition exhibition
un extrait extract
un extra-terrestre extraterrestrial
une extra-terrestre extraterrestrial
la fabrication manufacture
la façon way, method, manner
de cette façon in this way
le fait fact
le fantôme ghost
la farce practical joke
la faute ◇ fault
c'est de ma faute it's my fault
la fermeté firmness
la fermeture closure
la fin end
le fléau scourge, curse
la flèche arrow
la foi faith
la fois time
la folie madness
le fond background; bottom
la force strength
le format size
la forme form, shape
la foule crowd; heap
la fraîcheur freshness
les frais mpl expenses
le franc franc
le fric (fam) cash

la gaieté, la gaîté gaiety
le genre type, kind, sort
la gentillesse kindness
une gifle slap (in the face)
les goûts mpl interests
chacun son goût every man to his taste
le gouvernement government
grand-chose nm/f inv: pas grand-chose nothing much
la grandeur size
le gros lot first prize (in lottery)
un gros mot coarse word
la grossièreté coarseness, rudeness
le groupe group
la guerre war
le guide guide
l'habileté f skill
l'habitude see avoir
la :halte stop, break; halt
faire halte to stop
l'harmonie f harmony
un :haut-le-cœur (pl inv) retch, heave
un :haut-le-corps (pl inv) start, jump
le :haut-parleur (pl ~s) loudspeaker
la :hauteur height
l'hébergement m accommodation, lodging
le :hochet rattle
l'hommage m tribute
un homme-grenouille (pl ~s~s) frogman
l'honneur m honour
les honoraires mpl fees
la :honte shame
l'humeur f humour, mood
l'hygiène f hygiene
l'hypothèse f hypothesis
une idée idea

NOUNS

un/une idiot(e) idiot
une image picture
l'imagination f imagination
un/une imbécile idiot, imbecile
l'inconvénient m disadvantage
l'importance f importance
une impression impression
un/une inconnu(e) stranger
un inconvénient disadvantage
les informations fpl news
un inspecteur inspector
les instructions fpl instructions
l'intention f see avoir
l'intérêt m interest
une interruption break, interruption
une interview interview
la jalousie jealousy, envy
la joie joy
le jouet toy
le journal (pl journaux) newspaper
le juron curse, swearword
le laissez-passer (pl inv) pass
le lancement launching
la largeur width
la larme tear
le lecteur reader
la légende caption
le lieu (pl -x) place; see avoir
au lieu de instead of, in place of
la ligne line
la limite boundary, limit
la liste list
la litote understatement
la littérature literature
la livre (sterling) pound (sterling)
la location ◇ hire, rental
le loisir leisure
la longueur length
la Loterie Nationale National Lottery
la lumière light

le lutin imp, goblin
la lutte ◇ struggle
le magazine magazine
la malchance bad luck
le malheur misfortune
la manière way, method
le manque (de) lack (of)
le maximum maximum
le mélange mixture
le membre member
la mémoire memory
la méthode method, way
le mieux best; see faire
le milieu (pl -x) centre, middle
le minimum minimum
le Ministère de the Ministry of
le mot word; note, message
sans mot dire without saying a word
le moyen (de) the means (of)
au moyen de by means of
le mystère mystery
négatif: au négatif in the negative
le niveau (pl -x) level
le nombre number
la nouvelle (piece of) news
une objection objection
un objet object
une observation remark
une occasion opportunity; occasion
les œuvres fpl works
une opinion opinion
un ordre order
l'orgueil m pride
l'ouverture f opening
la page page
la paire pair
le panier basket
le panneau (pl -x) sign, notice
le pari bet
la parole word
la part part

de la part de on behalf of; from
de ma part on my behalf; from me
pour ma part for my part
le partenaire partner
la partie ◊ part; *see* **faire**
le pas footstep
le passager clandestin stowaway
la patience patience
la peine difficulty
la pensée ◊ thought
la permission permission
la personne person
la phrase sentence
la pièce (de 10 centimes) (10-centime) coin
la plaisanterie joke
le plaisir pleasure
le plan ◊ plan; map
au premier plan in the foreground
à l'arrière plan in the background
le plateau ◊ (*pl*-x) plateau
la plupart de *or* **des** most (of)
le poids weight
le point point, mark
le point de départ starting point
le point de vue point of view
la politesse politeness
la politique politics
portée: à portée de la main within arm's reach
le portrait portrait
positif: au positif in the positive
la position position
le possesseur owner
la possibilité possibility, opportunity
la poupée doll
le pouvoir power
les préparatifs *mpl* preparations
la préparation preparation
la présence presence
le pressentiment feeling

le principe principle
en principe as a rule; in principle
le problème problem
le produit product; produce
la profondeur depth
le projet plan
la propreté cleanliness
la prospérité prosperity
les provisions provisions
la prudence caution
avec prudence carefully; cautiously
le pseudonyme fictitious name; pen name; stage name
la publicité publicity
la qualité quality
la question question
le raccourci short-cut
la raison reason; *see* **avoir**
le rapport connection
la rature deletion, erasure
la recharge refill
la récompense reward
la recrudescence fresh outbreak
la réinsertion rehabilitation
la religion religion
les remerciements *mpl* thanks
le remue-ménage (*pl inv*) stir, hullaballoo
la rencontre ◊ meeting
le rendez-vous appointment; date; meeting place
les renseignements *mpl* information
la réponse reply
la reprise resumption
la réputation reputation
le rescapé survivor
le réseau (*pl*-x) network
la résolution resolution
le respect respect
les restes *mpl* remains
le résultat result

323

NOUNS

le **retour** return
de **retour** back
la **réussite** success
le **rêve** dream; dreaming
de **rêve**: une maison de rêve a
  dream house
la **révolution** revolution
le **révolutionnaire** revolutionary
la **rime** rhyme
le **rythme** rhythm
la **saleté** dirtiness
le **sang-froid** calmness
le **sanglot** sob
le **schéma** diagram, plan
le **secours** help
le **secret** secret
la **section** section
la **sécurité** security
le **séjour** stay
la **sélection** selection
le **sens** sense
la **sensation** sensation; *see* **faire**
la **série** series
le **service** service
de **service** on duty
hors **service** not in use; out of
  order
le **signal de détresse** distress
  signal
le **signe** sign; *see* **faire**
le **silence** silence
la **similitude** similarity
le **sinistre** disaster
la **situation** situation
la **société** society
la **solution** solution
la **somme** sum
le **somnambule** sleepwalker
le **son** sound
le **sort** fate
la **sorte** sort, kind
la **sottise** stupidity, foolishness;
  silly remark

le **souhait** wish
la **suie** soot
le **soupçon** suspicion
le **sourire** smile
le **sous-entendu** (*pl* ~**s**) innuendo,
  insinuation
le **souvenir** souvenir
le **spectateur** spectator
le **stéréotype** stereotype
le **style** style
le **succès** success
le **sujet** subject, matter
au **sujet de** about
la **surprise** surprise
la **surveillance** supervision;
  watch
le **système** system
la **tâche** task
le **talent** talent
le **taux de change** exchange rate
la **taxe** tax
la **tentative** attempt
le **terme** term, expression
la **tétine** (baby's) dummy
le **texte** text
la **théorie** theory
la **timidité** shyness
le **tonneau** barrel
la **toupie** (spinning) top
le **tour** ◇ turn; trick
c'est ton **tour** it's your turn
le **tournoi** tournament
la **trace** sign, trace
la **tragédie** tragedy
la **tristesse** sadness
le **truc** thingumajig, whatsit
le **tube** tube; hit song *or* record
le **type** fellow, chap, sort, kind
le **va-et-vient** coming and going
la **valeur** value
la **vapeur** ◇ steam
le **vaporisateur** spray, atomizer
la **veine** ◇ luck

la version version
le verso back (*of page*)
la victoire victory
la vie life
les vœux *mpl* wishes

le voyage journey
la vue view
de vue by sight
en vue de with a view to

abandonner to abandon
abîmer to spoil
aboutir to end
s'abriter to shelter
accepter to accept
accompagner to go with
accomplir to accomplish
s'accoutumer à to become
  accustomed to
accrocher to hang (up); to catch (*à*
  on)
accueillir to welcome
accuser to accuse
acheter to buy
achever to finish
acquiescer (à qch) to assent (to
  sth)
acquitter to endorse
admettre to admit
adorer to adore
s'adresser à to apply to; to speak
  to
affecter (de faire qch) to pretend
  (to do sth)
afficher to display
affirmer to maintain, assert
agacer to irritate, aggravate
agir to act, behave
il s'agit de it is a question of
agiter le bras to wave
s'agrandir to grow
agrémenter (de) to adorn (with)
aider qn à to help sb to
aimer to like, love
aimer bien to like
aimer mieux to prefer
ajouter to add
aller to go
aller chercher qn to fetch sb, go
  and meet sb

aller voir to go and see
s'en aller to go away
allumer to switch on; to light
amener to bring; to bring about
s'amuser to enjoy oneself
annoncer to announce
annuler to cancel
s'apercevoir de to notice
appartenir (à) to belong (to)
appeler to call
s'appeler to be called
apporter to bring
apprécier to appreciate
apprendre (à faire) to learn (to
  do)
apprendre qch à qn to teach sb
  sth
(s')approcher de to approach
approuver to agree with; to
  approve (of)
appuyer to press; to lean (*object*)
s'appuyer to lean
arracher to pull out; to snatch; to
  tear
s'arranger: cela s'arrangera it will
  be all right
arrêter to stop; to arrest
s'arrêter to stop
arriver to arrive; to happen
s'asseoir to sit down
assister à to attend, be present at,
  go to
s'assoupir to doze off
assurer to assure; to insure; to
  ensure
attacher to tie, fasten
attaquer to attack
atteindre to reach
attendre to wait (for); to expect
attirer to attract

attraper to catch
augmenter to increase
(s')avancer to go forward
avoir to have
avoir l'air (de) to seem (to)
avoir besoin de to need
avoir chaud/froid to be hot/cold
(*person*)
avoir envie de to want to
avoir l'habitude de to be in the
habit of
avoir honte (de) to be ashamed
(of)
avoir l'intention de to intend to
avoir lieu to take place, to occur
avoir du mal à to have difficulty
in
en avoir marre to be fed up
avoir peur to be afraid
avoir raison/tort to be right/
wrong
avouer to confess
baisser to lower
balbutier to stammer
barrer to block
bâtir to build
battre to beat
se battre to fight
bavarder to gossip, chat
bloquer to block
bouger to move
bouleverser to startle, shatter
bricoler to potter about, do odd
jobs
briller to shine; to sparkle
briser to break, smash
brûler to burn
(se) cacher to hide
(se) calmer to calm down
casser to break
causer to cause; to chat
cesser (de) to stop
changer d'avis to change one's

mind
chanter to sing
charger (de) to load with
chasser to chase (off); to get rid of
chatouiller to tickle
chauffer to warm up, heat up
chercher to look for; *see* aller,
envoyer
choisir to choose
chuchoter to whisper
circuler to move (*of vehicles*)
cirer to polish
collaborer to collaborate
collectionner to collect
coller to stick
commander to order
commencer (à) to begin (to)
compenser to compensate for,
make up for
comporter to comprise
composer to compose; to make up;
to dial
composter to date-stamp; to
punch
comprendre to understand
compter to count; to intend to
concerner to concern
conclure to conclude
conduire to drive
condamner to condemn; to
sentence
se conduire to behave
confectionner to make
confesser to confess
confirmer to confirm
connaître to know (*person, place*)
consacrer to devote (*time*)
conseiller to advise
conserver to keep
(se) considérer to consider
(oneself)
consister to consist
consommer to consume

constater to establish; to state
constituer to constitute, make up
construire: faire construire une maison to have a house built
consulter to consult
contacter to contact, get in touch with
contempler to contemplate
contenir to contain
continuer to continue
convenir to be suitable
copier to copy
se coucher to go to bed; to lie down
coudre to sew
couler to flow
couper to cut (off)
courir to run
couvrir to cover
craindre to be afraid of, fear
créer to create
crever to have a puncture
crier to shout, cry
critiquer to criticize; to assess
croire to think; to believe
cueillir to pick; to capture
cultiver to grow, cultivate
danser to dance
déborder to overflow; to boil over
se débrouiller to manage
décharger to unload
déchirer to tear
décider (de) to decide (to)
se décider (à) to make up one's mind(to)
déclarer to declare
se décourager to become discouraged
découvrir to discover
décrire to describe
défendre to forbid; to defend
dégager to clear; to extricate
se déguiser to disguise oneself

demander qch à qn to ask sb for sth
demander à qn de faire qch to ask sb to do sth
se demander to wonder
demeurer to live
démolir to demolish
dépasser to overtake; to exceed
se dépêcher to hurry
dépendre de to depend on
déplaire: cela me déplaît I don't like it
déposer to put down
déranger to disturb
désapprouver to disapprove of
descendre to come or go down; to get off (*train etc*); to take down
désirer to desire, want
dessiner to draw
détester to detest
détourner to divert
détruire to destroy
développer to develop
devenir to become
devoir to have to (*must*)
différer (de) to differ (from), be different (from)
diminuer to diminish, reduce
dire to say, to tell
à vrai dire as a matter of fact
diriger to direct
se diriger vers to go towards
discuter to discuss
disparaître to disappear
se disputer to argue, have an argument
dissimuler to conceal
distinguer to distinguish
distribuer to distribute
diviser to divide
dominer to overcome; to dominate
donner to give
donner sur to overlook

dormir to sleep
doter (de) to endow (with)
se doucher to have a shower
douter (de) to doubt, have one's
doubts about
dresser to set up, erect
se dresser to stand (up)
durer to last
échanger to exchange
s'échapper (de) to escape (from)
éclairer to light (up)
éclater de rire to burst out
laughing
économiser to save
écouter to listen (to)
écraser to crush
s'écraser to crash
s'écrier to exclaim, cry out
écrire to write
effectuer to carry out
effrayer to frighten
s'élancer to rush, dash
élever to erect; to raise
s'élever to rise
(s')embrasser to kiss
emmener to take
empêcher (de) to prevent (from)
employer to use; to employ
emporter to take; to carry
emprunter qch à qn to borrow sth
from sb
encourager qn à faire to
encourage sb to do
s'endormir to fall asleep
enfermer to imprison
s'enfuir to flee
enlever to take away; to get rid of;
to take off
s'ennuyer to be or get bored
enregistrer to record
ensevelir to bury
entasser to stack
entendre to hear

qu'entendez-vous par . . .? what
do you mean (or understand) by
. . .?
entendre parler de to hear about
s'entendre to agree, get on
entourer (de) to surround (with or
by)
entrer (dans) to enter, go or come
in(to)
envahir to invade
envelopper to wrap (up)
envoyer to send
envoyer chercher qn to send for
sb
éprouver to experience, feel
espérer to hope
essayer (de faire qch) to try (to do
sth)
essuyer to wipe
établir to establish, set up
étaler to spread out
éteindre to put out, extinguish; to
switch off
(s')étendre to extend; to stretch
out
étonner to astonish
s'étonner to be astonished
étouffer to suffocate; to be stifled
étrangler to strangle
être to be
être assis(e) to be sitting
être obligé(e) de to be obliged to
être de retour to be back
être sur le point de to be on the
point of, be just about to
être en train de faire qch to be
(busy) doing sth
étudier to study
(s')éveiller to wake up
éviter (de faire) to avoid (doing)
exagérer to exaggerate; to go too
far
examiner to examine

s'excuser (de) to apologize (for)
exister to exist
expliquer to explain
exprimer to express
fabriquer to manufacture, make
se fâcher to become angry
faillir: il a failli tomber he almost fell
faire to do; to make
faire attention to be careful
faire son autocritique to criticize o.s.
faire chaud/froid to be hot/cold (*weather*)
faire la connaissance de to meet
faire contrepoids to act as a counterbalance
faire entrer quelqu'un to let somebody in
se faire couper les cheveux to have one's hair cut
faire du mal (à) to harm
faire de même to do the same
faire partie de to belong to (*club etc*)
faire de son mieux (pour) to do one's best (to)
faire l'éloge de to praise
faire des démarches auprès de qn to approach sb
faire une promenade to go for a walk
faire remarquer to mention, point out
se faire remarquer to be noticed
faire semblant de to pretend to
faire sensation to cause a sensation
faire signe to signal, wave
il faut one must *etc*
falloir to be necessary
féliciter to congratulate
(se) fermer to close, shut

fermer à clef to lock
se figurer to imagine
finir to finish
fixer to stare at; to fix
flâner to stroll, lounge about
fonctionner to work (*of machine etc*)
faire fonctionner to operate
former to form
fouiller to search
fournir to provide
frapper to hit, strike, knock
fréquenter to frequent (*place*); to see (*person*)
gagner to win; to earn
garantir to guarantee
garder to keep
gâter to spoil
se gâter to go wrong
gémir to groan
gêner to bother
glisser to slip, slide
gratter to scratch
grimper to climb
guetter to watch
habiter to live in
hésiter to hesitate
heurter to bump into
ignorer not to know
imaginer to imagine
imprimer to print
indiquer qch à qn to inform sb of sth
s'inquiéter to worry
ne vous inquiétez pas! don't worry!
inscrire to inscribe
s'inscrire to register
installer to fix (up)
s'installer to settle, sit (down)
s'instruire to educate oneself
insulter to insult
interdire to prohibit
"interdit de fumer" "no

smoking''
intéresser to interest
s'intéresser à qch to be interested in sth
interroger to question
interrompre to interrupt
interviewer to interview
introduire to introduce
inviter to invite
jeter to throw (away)
joindre to join
jurer to swear
laisser to leave; to let; to allow
laisser tomber to drop
lancer to throw
(se) laver to wash
lever to lift; to raise
se lever to get up; to stand up
lire to read
loger (chez) to lodge (with), live (with)
louer to hire, rent
lutter to struggle
manœuvrer to manoeuvre; to operate
manquer to miss; to be lacking
marcher to walk; to work (of object)
se marier (avec qn) to marry (sb)
marquer to mark; to write down; to score
mêler to mix
se mêler (à qch) to be involved (in sth)
menacer to threaten
mener to lead
mentir to lie, tell a lie
mériter to deserve
tu l'as mérité! you deserved it!
mesurer to measure
mettre to put (on); to take (time)
mettre qch au point to bring sth about; to get sth ready

mettre qn à la porte to throw sb out
mettre qch à la poste to post sth
se mettre à l'abri to take shelter
se mettre en colère to get angry
se mettre en route to set off
monter to come or go up; (+ dans) to get into (car etc); to take up
montrer to show; to point out
se moquer de to make fun of
multiplier to multiply
noter to note
nourrir to nourish; to cherish
obliger qn à faire to force or oblige sb to do
observer to observe; to keep
obtenir to obtain
s'occuper à to occupy oneself or keep oneself busy (with)
s'occuper de to attend to; to be concerned (with)
offrir to give, offer
s'opposer à to be opposed to
ordonner to order, command
organiser to organize
orner (de) to decorate (with)
oser (faire qch) to dare (to do sth)
oublier to forget
(s')ouvrir to open; to switch on
paraître to appear
parier (sur) to bet (on)
parler to speak, talk
partager to share
participer (à) to take part in; to share in
partir to leave, depart, go away
à partir de from
passer to pass; to spend (time)
passer un examen to sit an exam
se passer to happen
passionner to excite
pavoiser to decorate with flags
payer to pay

VERBS

peindre to paint
pénétrer (dans) to enter, make one's way into
penser (à) to think (about)
penser de to have an opinion of
perdre to lose
perdre qn de vue to lose sight of sb
permettre (à qn de faire) to allow *or* permit (sb to do)
persuader to persuade
peser to weigh
photographier to photograph
placer to place, put
se plaindre (de) to complain (about)
plaire (à) to please
cela me plaît I like that
plaisanter to joke
pleurer to cry
plier to fold
porter to carry; to wear; to take
poser to put (down)
poser des questions to ask questions
posséder to possess
postillonner to sp(l)utter
poursuivre to pursue
pousser to push; to grow
pousser un cri to utter a cry
pouvoir to be able to (*can*)
pratiquer to go in for
précipiter to hurl
se précipiter dans to rush into
prédire to predict
préférer to prefer
prendre to take; to have
prendre feu to catch fire
prendre part à to take part in
prendre qch à qn to take sth from sb
prendre soin (de) to take care (to)
préparer to prepare

présenter to present; to introduce
se présenter to appear; to introduce oneself
prêter qch à qn to lend sb sth
prévoir to foresee
prier to request
je vous en prie please, don't mention it
priver qn de qch to deprive sb of sth
produire to produce
se produire to happen, occur
profiter (de) to take advantage (of)
se promener to go for a walk
promettre (à qn de faire qch) to promise (sb to do sth)
prononcer to pronounce
prononcer un discours to make a speech
proposer (de faire) to suggest (doing)
protéger to protect
protester to protest
prouver to prove
provoquer to cause
puer to stink
se quereller to quarrel
quitter to leave
raccommoder to mend, repair
raconter to tell
ralentir to slow down
ramasser to pick up
ramener to bring *or* take back
ranger to arrange, tidy
se rappeler to remember
rapporter to report; to bring back
rater to miss; to fail
rattraper qn to catch up with sb
recevoir to receive
réchauffer to warm (up)
recommander to recommend; to register (*letter*)

recommencer to begin again
reconnaître to recognize
recouvrir (de) to cover (with)
reculer to move back; to reverse
redescendre to come *or* go down again
refaire to re-do, do again
refermer to close again
réfléchir to think, reflect
refuser (de) to refuse (to)
regagner to go back to
regarder to look (at)
régler to adjust; to direct (*traffic*); to settle (*bill*)
regretter (que) to be sorry (that)
rejoindre to meet; to rejoin; to reach
se relever to get up again
relier to connect
relire to read again
remarquer to notice
rembourser to refund
remercier (de) to thank (for)
remettre to put back; to take back; to postpone
remonter dans to get back into
remplacer to replace
remplir (de) to fill (with)
remuer to stir
rencontrer to meet
se rencontrer to meet; to collide
rendre to give back
rendre visite à to visit
se rendre to surrender, give oneself up
se rendre à to visit (*place*)
se rendre compte to realize
(se) renfermer to shut (oneself) in
renseigner to inform
se renseigner (sur) to inquire (about)
rentrer to return
renverser to overturn, knock over

renvoyer to send back
réparer to repair
repasser to press, iron
répéter to repeat
répondre to reply
se reporter à to refer to
se reposer to rest
reprendre to resume
représenter to represent
réserver to book, reserve
résoudre to solve
respecter to respect
ressembler à to resemble
ressortir to bring *or* take out
rester to stay, remain
retenir to book, reserve
retentir to sound
retourner to return
se retourner to turn round
retrouver to meet; to find (again)
se réunir to meet
réussir (à faire) to succeed (in doing)
se réveiller to waken up
révéler to reveal
revenir to come back
rêver to dream
revoir to see again
au revoir goodbye
rigoler, rire to laugh
risquer (de) to risk
ronfler to snore
rougir to blush
rouler to drive (along)
saisir to seize, grasp; to catch, understand
salir to dirty
se salir to get dirty
saluer to greet
sangloter to sob
sauter to jump
sauver to save
se sauver to run off

VERBS

savoir to know (*fact*)
sécher to dry
secouer to shake
sélectionner to select
sembler to seem
sentir to smell
se sentir (mal) to feel (ill)
séparer to separate
se serrer la main to shake hands
(se) servir to serve (oneself)
se servir de qch to use sth
signaler to point out
signer to sign
somnoler to doze
sonner to ring
sortir to go *or* come out; to take out
se soucier de to worry about
souffrir to suffer; to bear, stand
souhaiter to wish
soulager to relieve
soulever to lift
soupçonner to suspect
soupirer to sigh
sourire to smile
soutenir la comparaison avec to bear comparison with
se souvenir de qch to remember sth
sucer to suck
suffire to be sufficient
suggérer to suggest
suivre to follow
supposer to suppose
à supposer que . . . supposing that . . .
surprendre to surprise
sursauter to give a jump
se taire to be quiet
taquiner to tease
tâter to taste; to sample
téléphoner (à) to telephone
tendre to hold out
tenir to hold; to run (*shop*)

tenter de to attempt to
(se) terminer to finish
tirer to pull; to let off (*fireworks*); to shoot
tomber to fall
laisser tomber to drop
tomber en panne to break down
toucher (à) qch to touch sth
toucher de l'argent to receive money
tourner to turn; to shoot (*film*)
se tourner vers to turn towards
traduire to translate
trahir to betray
traîner to drag, pull
travailler to work
traverser to cross; to go through; to go over
tromper to outwit
se tromper to be mistaken
troubler to worry
trouver to find
se trouver to be (situated)
tuer to kill
unir to unite
utiliser to use
vaincre to conquer
valoir to be worth
vendre to sell
venir to come
venir de faire qch to have just done sth
vérifier to check
verser to pour
visiter to visit
vivre to live
voir to see
voler to steal; to fly
vouloir to want
vouloir bien (+ *infinitive*) to be happy to
vouloir dire to mean
voyager to travel

The following French words can have more than one translation, depending on context. If you do not already know these translations, check them up on the pages shown.

HOMONYMS

ENGLISH INDEX

The vocabulary lists on the following pages cover all of the English nouns in the first two levels of the book, i.e. ESSENTIAL and IMPORTANT.

ENGLISH INDEX

ENGLISH INDEX

ENGLISH INDEX

356

ENGLISH INDEX

ENGLISH INDEX

The vocabulary lists on the following pages cover all of the French nouns in the first two levels of the book, i.e. ESSENTIAL and IMPORTANT.

FRENCH INDEX

FRENCH INDEX

FRENCH INDEX

FRENCH INDEX

FRENCH INDEX

FRENCH INDEX

FRENCH INDEX

FRENCH INDEX